広瀬光治・ゆび編みのおすすめ

ゆび編みは"ゆび編み"という言葉の魅力もありますが、何と言っても、誰にでも簡単に、短時間、道具なしで作品が出来上がるのが人気のポイントではないでしょうか。

本格的にかぎ針や棒針を持って編むことの入り口として、とにかく毛糸に親しんでもらいたい…。自分では不器用で編みものなんてとても無理、と思っていた方にも、ものづくりの楽しさを味わって欲しい…。そんな気持ちで講習会、講演会、トークショーを行ってきました。テレビや雑誌などの影響もあって、本当にたくさんの方々に体験していただくことが出来ました。小学1年生の男の子から、90歳代の方、そして男性にも。年齢や性別に関係なく、"編める"ことを実感として味わってもらえたと思います。

この本をつくるにあたって、小学校4、5、6年生の11人のお友達が誌上ゆび編み塾に参加しています。普段、騒ぎやさんの男の子や、おしゃべりな女の子も、目を見張る集中力を見せてくれました。たった2時間弱で、皆、きちんとマフラーを完成させたのです。自分で編んだマフラーを巻いて撮った写真は、満足感と自信に輝いていましたよ。

糸は人と人を結ぶものという言葉どおり、全国の方々とゆび編みを通して出会えたことは私の財産になりました。たくさんの思い出をかみしめながら、私のゆび編みの本が出来上がりました。今までの編みものファンはもちろん、これからやってみようという方も、編みものには全く興味のない方も、とにかく指を動かしてみませんか。

今まで、ゆび編みを体験してくださった有名人の方々もたくさんいます。パフィーのお二人、藤井 隆さん、ビートたけしさん、爆笑問題のお二人、渡辺正行さん、江守 徹さん、沢田研二さん、島崎和歌子さん、錦野 旦さん、おさるさん、浅田美代子さん、あき竹城さん、上沼恵美子さん、久本雅美さん、松本明子さん、内村光良さん、山田花子さん、石塚英彦さん、河合美智子さん、アリtoキリギリスのお二人、鈴木早智子さん、今田耕司さん、篠原勝之さん、大江千里さん、益子直美さん、オダギリジョーさん、渡辺満里奈さん、少々つまずいた方もいらっしゃいましたが、皆さん、楽しんでくれたような気がします。このゆび編みの本から、楽しくやさしい手づくりの輪がもっともっと広がりますように。

広瀬光治（ひろせみつはる）

1955年1月28日、埼玉県さいたま市(旧与野市)生まれの水瓶座。血液型はB型。
高校時代より編みものに親しむ。霞ヶ丘技芸学院で本格的に学んだ後、日本ヴォーグ社に入社し、雑誌の編集長、編みもの講師として活躍。1999年、フリーに。現在、講習、講演のために全国を飛び回る日々が続く。日本酒愛好家。(社)日本編物文化協会理事。

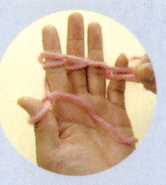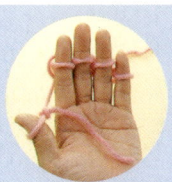

広瀬先生の わいわい子ども ゆび編み塾

大人気の広瀬先生にゆび編みのマフラーを教えてもらおうと、学校が終わった夕方、都内某所に小学生の皆が集合しました。今日は小学生11名で広瀬先生を独占です。

4本ゆびのメリヤス編みと、5本ゆびの巻きリリヤン編みにトライです。4年生組の6名は4本ゆび、5、6年生組の5名はちょっぴりむずかしい5本ゆびの2グループに分かれました。

皆、好きな糸を選んで開始です。小さな指が一生懸命動きます。皆の集中した横顔が真剣です。広瀬先生の楽しくやさしい指導のもと、全員、2時間後にはマフラーがちゃ〜んと出来上がりました。

撮影しながらのゆび編みだったので、2時間かかりましたが、普通にやれば、30分で出来上がります。女の子たちはヘアのおねえさんに髪の毛を整えてもらって、出来たてほかほかのマフラーを巻き、ぴかぴか笑顔で集合写真の撮影となりました。

無事、ゆび編み塾は終了、皆さん、出来上がったマフラーと、楽しい思い出を抱えて、帰宅の途につきました。

毛糸の山の中から、皆で糸を選びましょう。好きな色、風合いの糸を決めます。

4本ゆびチーム

4本ゆびのメリヤス編みに挑戦する、前列左から、橋本沙紀さん、内田美里さん、種村一輝君、二門祐樹君。後列左から、山崎里紗さん、松本亜美さん、皆選んだ毛糸を持って、はい、ポーズ。

まず、糸端に輪っかをつくって左手の親指にかけます。

 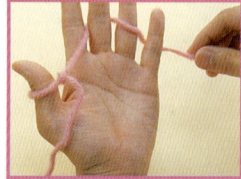 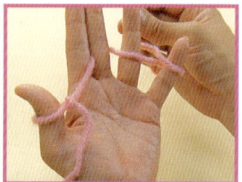

* Yubiami Lesson * Yubiami Lesson * Yubiami Less

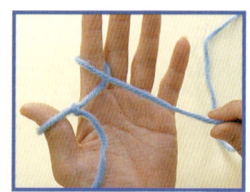 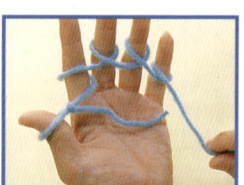 

5本ゆびの巻きリリヤン編みグループの、左から山本奈都美さん、宮川万里香さん、嶺井麻華さん、八代真里香さん、黒沢晴佳さん。皆の選んだファーの毛糸が、あとで大変なことに…。

5本ゆびチーム

親指に毛糸の輪っかをかけて、人差し指から小指に向かって、くるくる糸を巻きつけます。

糸を各指に交互にかけて、小指までかけたら、また交互に戻ってきます。これが作り目です。

編む糸を手前において指にかかっている目を手前から向こう側にかけます。これが1段めです。

5、6段編んだところです。編み地が手の甲側に編んで行くのがわかりますね。

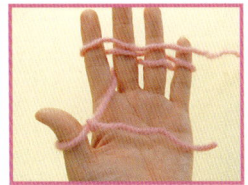

* Yubiami Lesson * Yubiami Lesson * Yubiami Lesson * Yubiami Lesson * Yubiami L

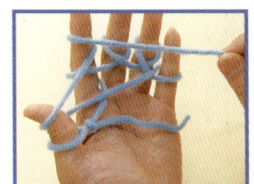
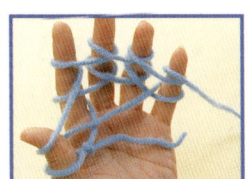
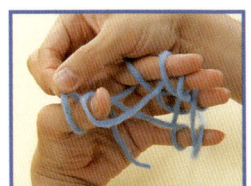
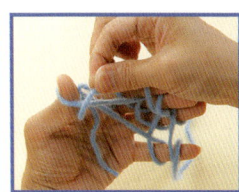

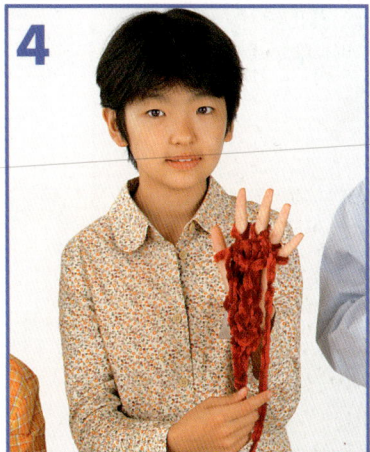

1段めは小指の糸を親指に持ってきて、親指から小指に向かってまた巻きつけます。ところが、ファー組は指に巻きつける糸が多くなり、わかりづらくて立ち往生。皆、もっと目のわかりやすい糸に取り替えました。

親指にかかっている2本の、下の糸を向こう側からつまんで上の糸にかぶせます。次々、同じようにかぶせて小指までいったら、親指からまた糸を巻きつけます。

3番を繰り返すと、手の平側に編み地が編めて行きます。

5 糸が太いから、どんどん編めて、糸がなくなりました。編み目に糸端を通して、目がほどけないように、止めます。

6 残った糸端と編み始めの糸端を編み目の中にくぐらせて完成です。

皆で広瀬先生を囲み、出来たてマフラーを巻いて記念撮影！
お疲れ様でした。

 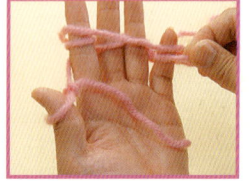 

4本ゆび

✳ Yubiami Lesson ✳ Yubiami Lesson ✳ Yubiami Lesson ✳ Yubiami Lesson ✳ Yubiami Le

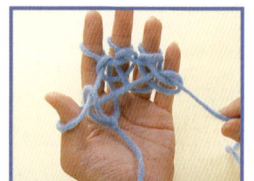   

5本ゆび

5 皆、編みやすい糸に替えて一安心、スピードもぐっとアップ。

6 コツを飲み込めば、簡単、簡単、面白いように編めて、もう終わりまできちゃいました。糸を始末します。

広瀬先生の
わいわい子ども
ゆび編み塾

ボンボンが全体についている、
かわいい糸。
ゆび編みにぴったりです。
ボンボンが裏側に出るように、
時々、指で押し込みましょう。
編み方／11ページ

4本ゆび編み｜メリヤス往復編み

協力／1・カーディガン＝ジェーン マーブル(セントメアリミード) 2・ベスト＝スーパーハッカ ブラウス＝プードゥドゥ 3・ブラウス、4・カットソー＝グレイ マジック

4本ゆび編みの30分マフラー

「用意、始め」で、たった30分で編めてしまう、
ゆびメリヤス編みのマフラーです。
指を針の替わりにするので、目は大きくなります。
だから、毛糸は毛足の長いものや、
ふわふわした太い糸がお勧めです。
いろんな糸でたくさん編んで、
日替わりで衿元のおしゃれ、楽しみましょう。
次のページから、詳しいゆび編みの
編み方の始まりです。

ふわふわファーを4本どりにした、
ボリュームのあるマフラーです。
寒い季節、衿元があったかいと、幸せ。
編み方／11ページ

とにかくやってみましょう！
4本ゆび編み
（メリヤス往復編み）

✻ Yubiami Lesson ✻

左手を棒針替わりにして、右手で糸を操作して編んでいきます。両手を使うので、利き手ではない方の手の運動にもなります。

ここでは左手の指4本を使いますので、4目出来ます。人差し指から始め、小指まで編みましたら、また小指から編んで戻ってきます。その繰り返しで、マフラーが編めていきます。写真はわかりやすいようにストレートな糸を使っていますが、ファーなどの変わり糸で編むと編み目も目立たなくなり、ぐっと完成度が高まります。さあ、手を洗って、始めましょう。

● 糸でループをつくります

1　糸端を下にたらし、くるっとループをつくる。

2　糸が交差しているところを左指で押さえて、ループの後ろから右指で長い方の糸をつまみ出す。

3　ループは親指が楽に通る大きさに引き出す。

4　糸端を引いて引きしめる。

● 作り目をします

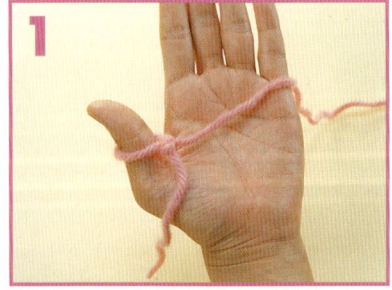
1　出来上がったループを左手の親指にかける。

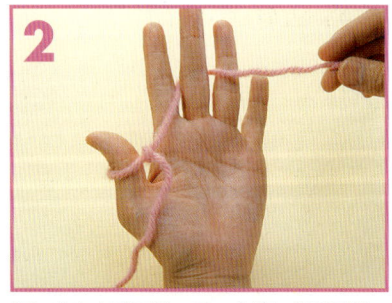
2　長い糸を右手で持って、人差し指の手前、中指の後ろにかける。

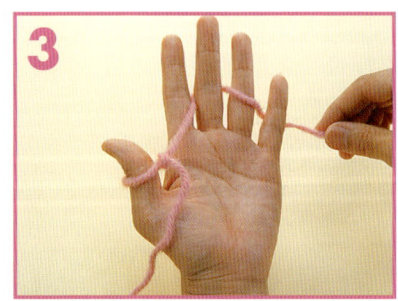
3　薬指の手前、小指の後ろ側にかける。

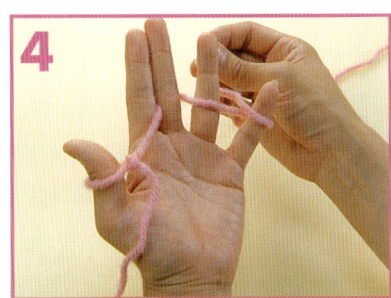
4
小指までかけたら、戻ってくる。薬指の後ろを通り、

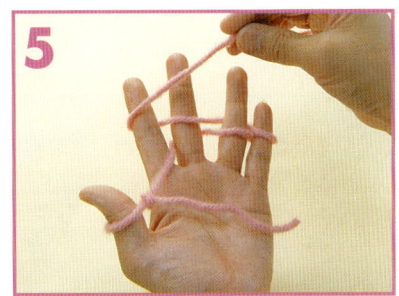
5
中指の手前、人差し指の後ろを通る。

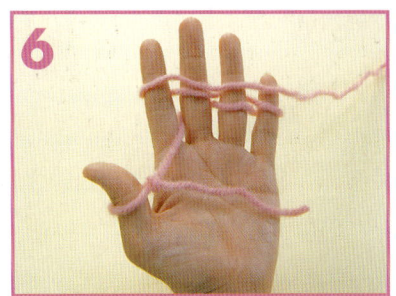
6
編む糸を手の平側、2〜5でかけた糸の上にのせる。

●1段めを編みます

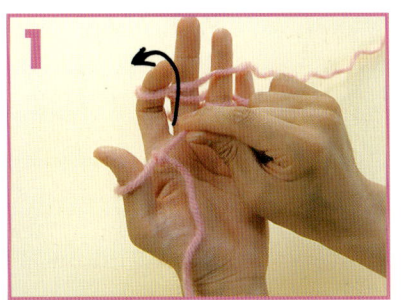
1
親指から中指に渡っている（人差し指の前）糸をつまんで、

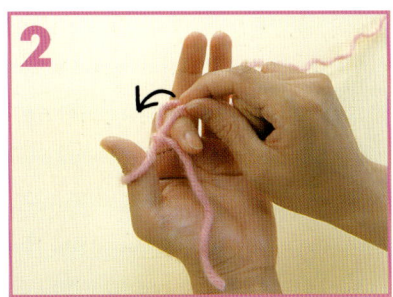
2
人差し指の向こう側に落とす。

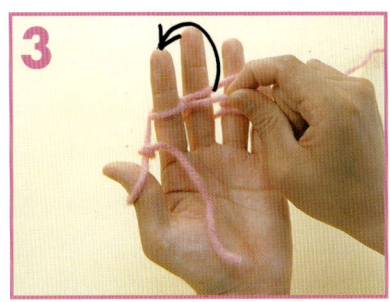
3
同じように中指の糸をつまんで（編む糸は上）、

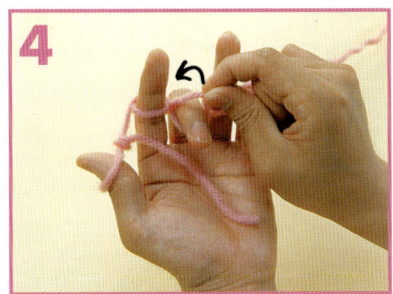
4
中指の向こう側に落とす。

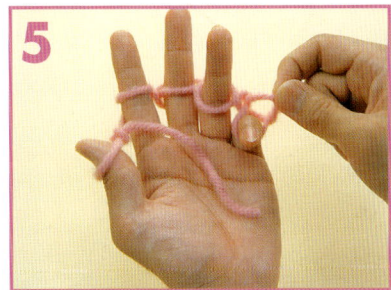
5
薬指、小指と同じように編む。編んだ糸は少しずつゆるめておく。きついとあとが大変です。

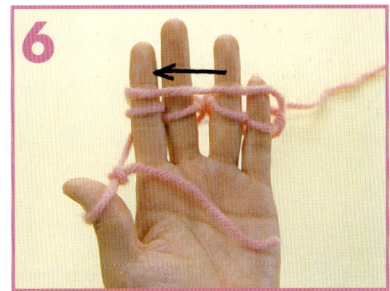
6
編む糸を小指から、手の平側の編み目の上にのせる。

●2段めを編みます

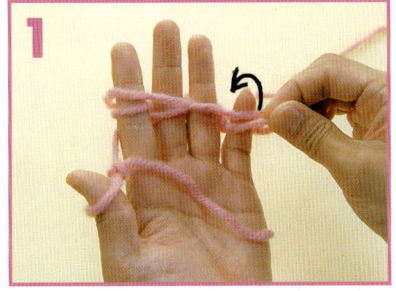
1
今度は小指側から、目を小指の向こう側に落とす。

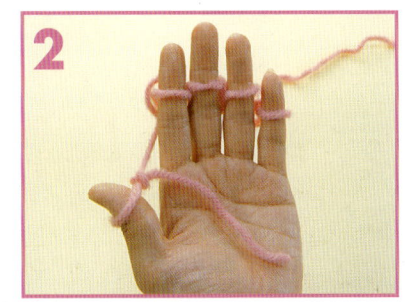
2
以降、1段めと同じように、編んでいく。人差し指まで編んで、2段めが編めました。

●3段め以降を編んでいきます

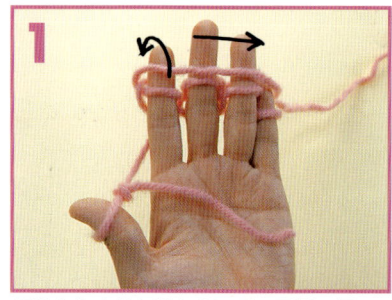

1 編む糸を人差し指から、手の平側の編み目の上にのせる。3段めは人差し指から編んでいく。1段め、2段めを繰り返す。

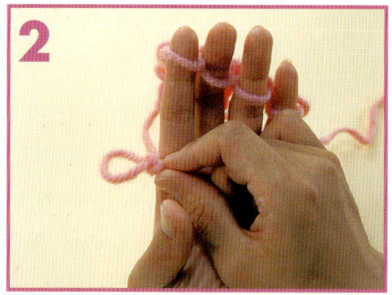

2 ある程度(5、6段)編めましたら、親指のループをはずす。

3 編み地は手の甲側に編んでいく。

●編み終わりの始末をします

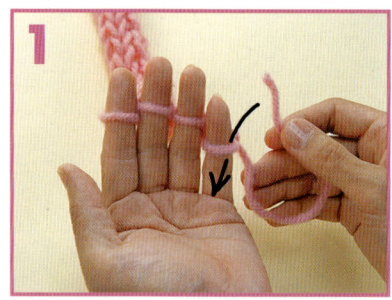

1 糸端が1段編めなくなったら、終わりにする。

2 小指から(人差し指で終わったら人差し指から)目に糸を通していく。

3 薬指に通す。

4 中指、人差し指にも通す。

5 糸端を持って、

6 端の目に通し、

7 糸端がなくなるまで、編み地の端に通す。

8 好みの長さまで軽く引っ張って、整える。

1, 2
7ページ

糸
ハマナカボンボンモール
1 赤系段染め(3)
2 青系段染め(5)各50g

出来上がり寸法
幅約9cm、長さ約70cm(寸法は目安です)

ポイント
糸は糸玉の始めと終わりから引き出し、ボンボン部分の色を変えて2本どりにします。編む部分は黒の芯糸部分を編み、ボンボンは裏側に出します。

マフラー(4本ゆびメリヤス編み)

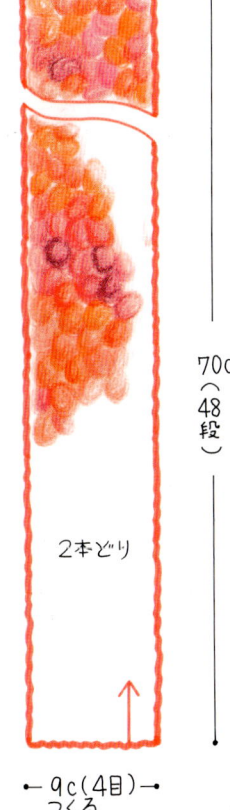

70c(48段)
2本どり
9c(4目)つくる
※段は糸がなくなるまで編む(48段は目安です)

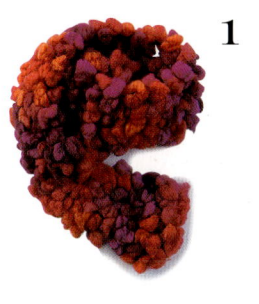
1

2

3, 4
7ページ

糸
オリムパス手あみ毛糸 ティアラ
3 茶色(8)
4 生なり(1)各90g

出来上がり寸法
幅約10cm、長さ約96cm(寸法は目安です)

ポイント
糸は2玉とも糸玉の始めと終わりから引き出して、4本どりにします。小指側を少し、ゆるめに編みます。

マフラー(4本ゆびメリヤス編み)

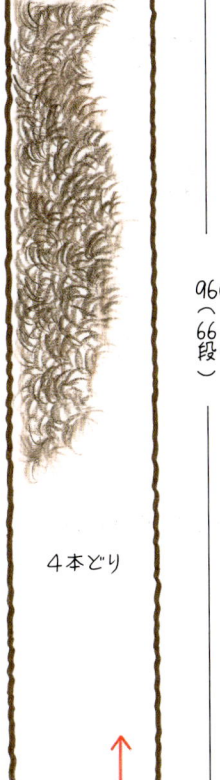

96c(66段)
4本どり
10c(4目)つくる

3

4

4本ゆび編み / メリヤス往復編み

この糸で編んでいます(実物大)

1

2
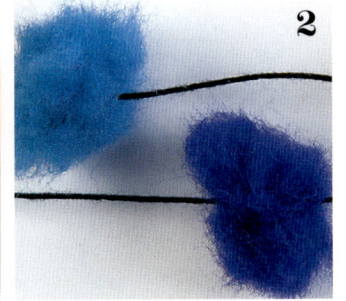

3

4

ハマナカボンボンモール
毛85% アクリル(カシミロン)15% 50g玉巻 約25m 6色 980円

オリムパス手あみ毛糸 ティアラ
アクリル82% ナイロン18% 45g玉巻 約41m 10色 880円

5本ゆび編みの ふわふわティペット

親指まで使った5本ゆびで編むと、
自然と親指側がゆるんで扇形に広がります。
そのくせを、ふわふわティペットに利用しました。
首側を小指、外側を親指にすると、都合よくおさまります。
毛足のたっぷりした糸を選んで、豪華に編み上げましょう。

5

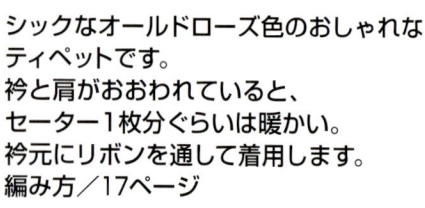

シックなオールドローズ色のおしゃれな
ティペットです。
衿と肩がおおわれていると、
セーター1枚分ぐらいは暖かい。
衿元にリボンを通して着用します。
編み方／17ページ

6

5本ゆび編み／メリヤス往復編み

たった5目でこのボリューム、
ゆび編みならではです。
毛足が3cmもあるファーヤーンと、
しっとりしたモヘアの組み合わせです。
ひもはゆびコード編みで編んで通します。
編み方／17ページ

協力／5・コート、6・ケープ、ワンピース＝ジェーン マープル(セントメアリミード)　靴＝デア／ディア

5本ゆび編み
（メリヤス往復編み）

* Yubiami Lesson *

基本動作は9ページの4本ゆび編みと同じです。親指から始め、小指まで編みましら、また小指から編んで戻ってきます。その繰り返しで編んでいきます。親指は他の指と離れている上、太いので、ゆるみます。自然とティペットの扇形になります。写真はわかりやすいようにストレートな糸を使っています。

● 作り目をします

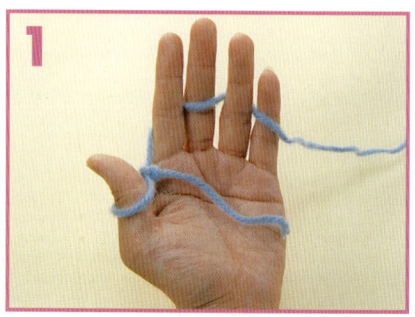

1 ループをつくり(8ページを参照)、親指にかける。長い糸を右手で持って、人差し指の後ろ、中指の手前、薬指の後ろ、小指の前にかける。

2 糸を小指の後ろに回して、薬指の手前、中指の後ろ、人差し指の前、親指の後ろを通して手前に持ってくる。

● 1段めを編みます

1 親指のループをつまんで、

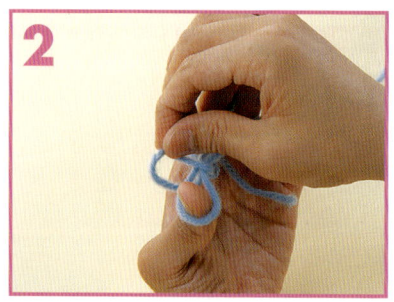

2 親指の向こう側に落とす。

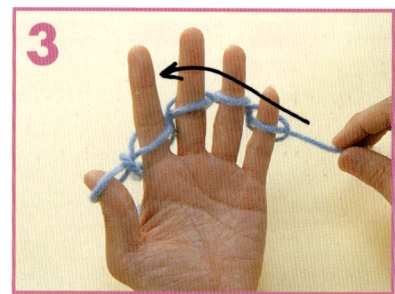

3 同じように人差し指から指にかかっている下の糸をつまんで向こう側に落とす(9ページ参照)。小指まで繰り返す。

4 2段め以降は9、10ページを参照して、4本指と同じ要領で編む。小指側が小さく、親指側がゆるく、扇形になっている。

● 目を止めます

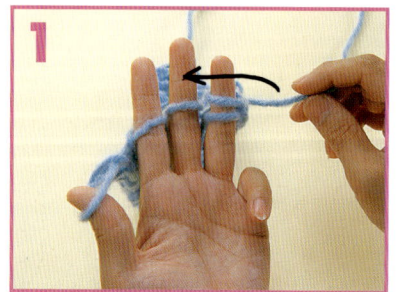

1 小指の目を薬指に重ねる。

2 糸を薬指にのせて、下の2目をつまんで、

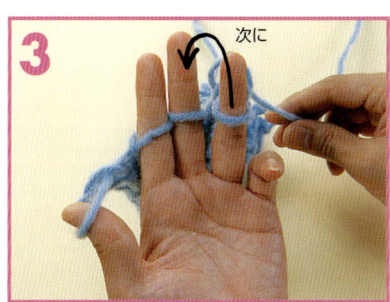
薬指の向こう側に落とす。

薬指の目を中指に重ねて、糸を中指にのせる。

下の2目をつまんで、中指の向こう側に落とす。

親指まで繰り返す。

ループから糸を引き抜いて、糸始末をする（10ページ参照）。

ゆびコード編み
Yubiami Lesson

糸を交互にループの間に通して引きしめてコードにしていく方法です。糸を切ってつくるよりひもと異なり、編んでいきますので、長さが好きに決められます。リボンなどで編むと、ちょっとしたネックレスやブレスレットが出来ます。ここではわかりやすいように、左右で糸を変えています。

左の糸(黄)で結びめをつくり、そのループに右糸(白)を入れる。

左の結びめをしめる。

右のループに右人差し指を入れ、左手で左糸(黄)を持つ。

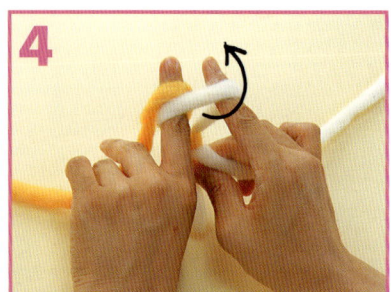
右ループに左人差し指を入れ、左の糸(黄)を下からすくう。

右ループの中から左人差し指にかかっている左の糸(黄)を引き出す。

左手で始めの結びめを押さえて右手をはずし、右糸(白)を持って、

引きしめる。

左のループに右人差し指を入れ、右糸(白)を下からすくう。

右糸(白)を引き出し、

右手で結びめを押さえて左手をはずし、左糸(黄)を持って、

引きしめる。

右ループに左人差し指を入れ、左の糸(黄)を下からすくう。4〜11を好みの長さまで繰り返す。

最後はループを引いて、

糸端を抜いて糸始末をする。

16

5,6

12・13ページ

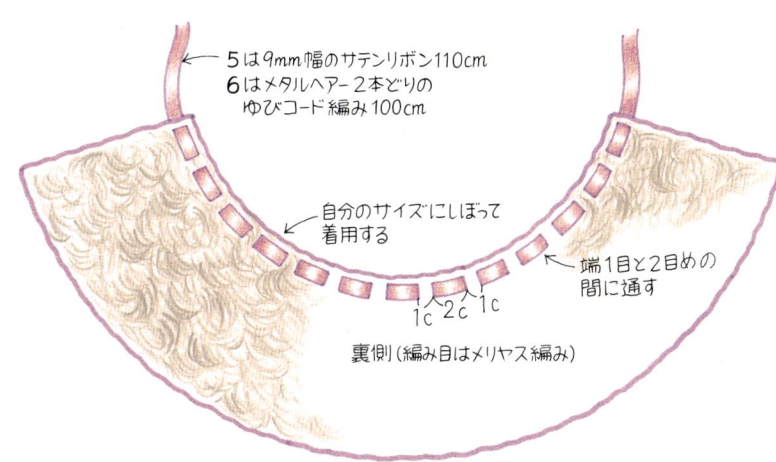

5は9mm幅のサテンリボン110cm
6はメタルヘアー2本どりの
ゆびコード編み100cm

自分のサイズにしぼって着用する

端1目と2目の間に通す

1c 2c 1c

裏側（編み目はメリヤス編み）

5本ゆび編み ｜ メリヤス往復編み

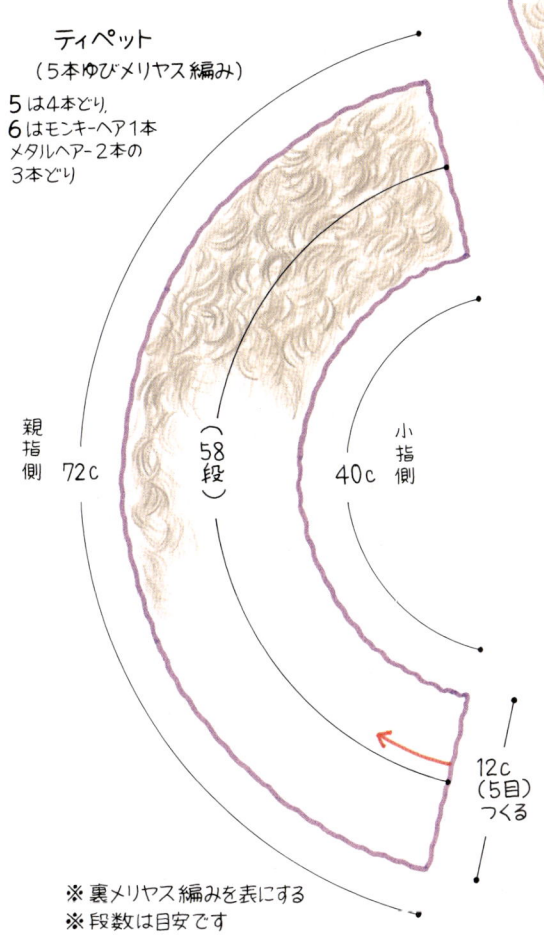

ティペット
（5本ゆびメリヤス編み）
5は4本どり、
6はモンキーヘア1本
メタルヘアー2本の
3本どり

親指側 72c
（58段）
小指側 40c

12c（5目）つくる

※裏メリヤス編みを表にする
※段数は目安です

5

6

リッチモア　モンキーヘア
ポリエステル100%
40g玉巻　約19m　7色　1280円

糸
5 ピエールカルダン　ベティ　灰味ピンク(4)80g
6 リッチモア　モンキーヘア　紫と茶色(4)40g　リッチモア　メタルヘアー　えんじ(49)30g
リボン＝5 9mm幅のサテンリボン110cm

出来上がり寸法
首回り40cm、幅12cm

ポイント
5は4本どり、6はモンキーヘア1本とメタルヘアー2本の3本どりで編みます。
6のひもはメタルヘアーの2本どりでゆびコード編みで編みます。首側に5はリボン、6はゆびコード編みのひもを通します。

この糸で編んでいます
(実物大)

5
ピエールカルダン　ベティ
ポリエステル100%　40gドーナツ巻
約38m　10色　680円

6
リッチモア　メタルヘアー
ナイロン100%
30g玉巻　約100m　9色　560円

4本ゆび
リリヤン編みの
織物クッション

小さい頃楽しんだリリヤン編みのように、
4本指を使って、ぐるぐる編む方法です。
編み上がった太めのテープを利用して、
織りの技法でかわいいクッションに仕上げました。
テープを編んだ残り糸でタッセルや
ボンボンでかどを飾ります。
4色ずつ2玉の毛糸を使い切ります。

7

ゆびリリヤン編みで編んだテープを平織りにして
クッションにしました。
手でテープを組むだけなので、子どもでも楽しめます。
頭もちょっぴり使います。
色と素材、組み合わせでいろいろなタイプが出来上がります。
編み方／23ページ

4本ゆびリリヤン編み

8

4本ゆび リリヤン編み

Yubiami Lesson

メリヤス往復編みでは小指まで編みましら、また小指側から戻って、人差し指と小指を往復して編みました。ここでは、小指までいったら、人差し指に進みます。リリヤン編みのように、4本指を使って、ぐるぐる編む方法です。小指から人差し指に糸が渡りますが、編み地を引っ張ると編み目に均等に吸収されてなくなります。

● 作り目をします

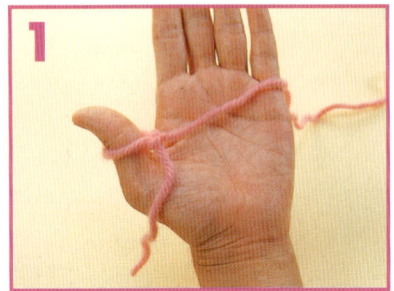

1 糸でループをつくって(8ページ参照)、左手の親指にかける。

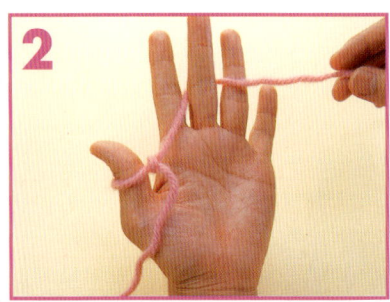

2 長い糸を右手で持って、人差し指の手前、中指の後ろにかける。

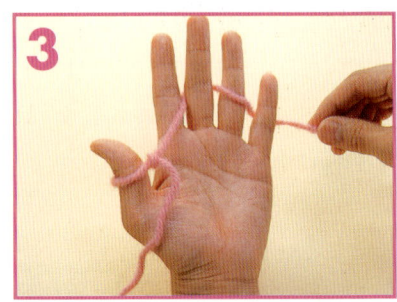

3 薬指の手前、小指の後ろ側にかける。

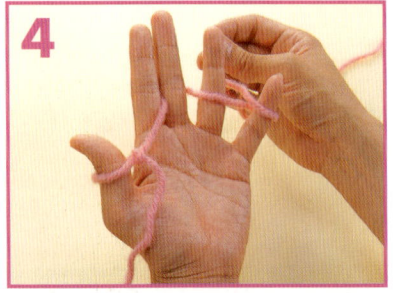

4 小指までかけたら、戻ってくる。薬指の後ろを通り、

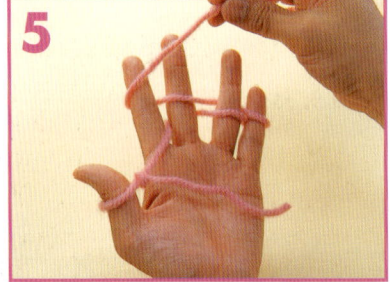

5 中指の手前、人差し指の後ろを通す。

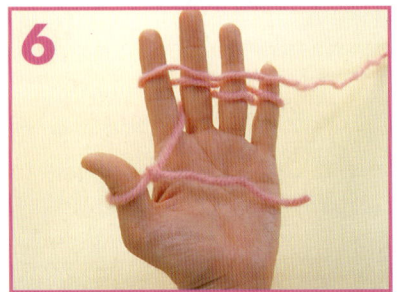

6 編む糸を手の平側、2〜5でかけた糸の上にのせる。

● 1段めを編みます

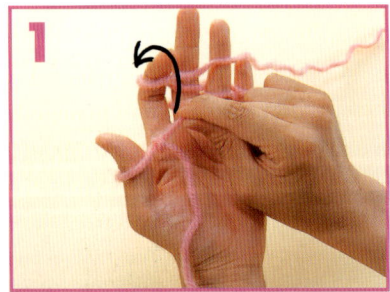

1 親指から中指に渡っている(人差し指の前)をつまんで、

2 人差し指の向こう側に落とす。

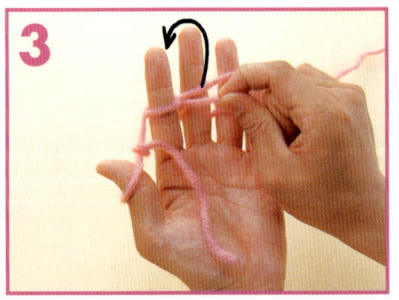

3 同じように中指の糸をつまんで(編む糸は上)、

中指の向こう側に落とす。

薬指、小指と同じように編む。編んだ糸は少しずつゆるめておく。きついとあとが大変です。

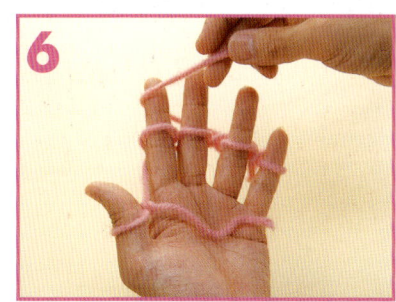
編む糸を小指の後ろに回し、手の甲側を通って人差し指の前に持ってくる。

●2段め以降を編みます

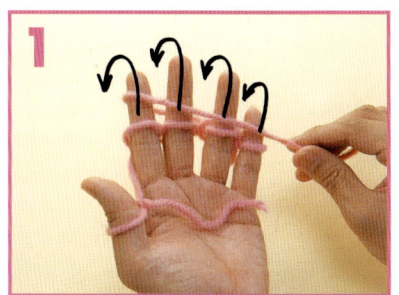
糸を手の平側の編み目の上に渡し、人差し指から1段めと同じ要領で編む。

数段編んだところ。手の甲側に編み地が編めていく。

小指と人差し指の間に糸が渡っている。

編み地を引っ張ると渡り糸がなくなる。

●クッションに織ります

各テープの編み終わりは目に糸を通して休めます。a、b、c、d各色を6本ずつ編んでおきます。

左からa色、b色を交互に10本並べる。

c色を左に15cm残して横におき(上から15cm下がったところ)、左端a色の下に通す。

b色の上、a色の下に通す。右が15cm残る。

d色を右に15cm残してc色のすぐ下におき、右端b色の下に通す。

a色の上、b色の下に通す。左が15cm残る。

6
以降、c色、d色とも各4本ずつ、計10本通す。

7
織り上がった面にクッションをのせる。

8
横のc色、d色の真中2本をはぐ。

9
横のテープをすべてはぐ。

10
縦のテープの真中の2本を横のテープに交互にくぐらせながら通し、はぐ。

11
縦のテープを全て横のテープに通してはぐ。

12
4辺に残っているテープを通して隙間を埋める。

■ この糸で編んでいます
(実物大)

7

8
スキーティップトップ
毛100%
50g玉巻　約37m　8色　550円

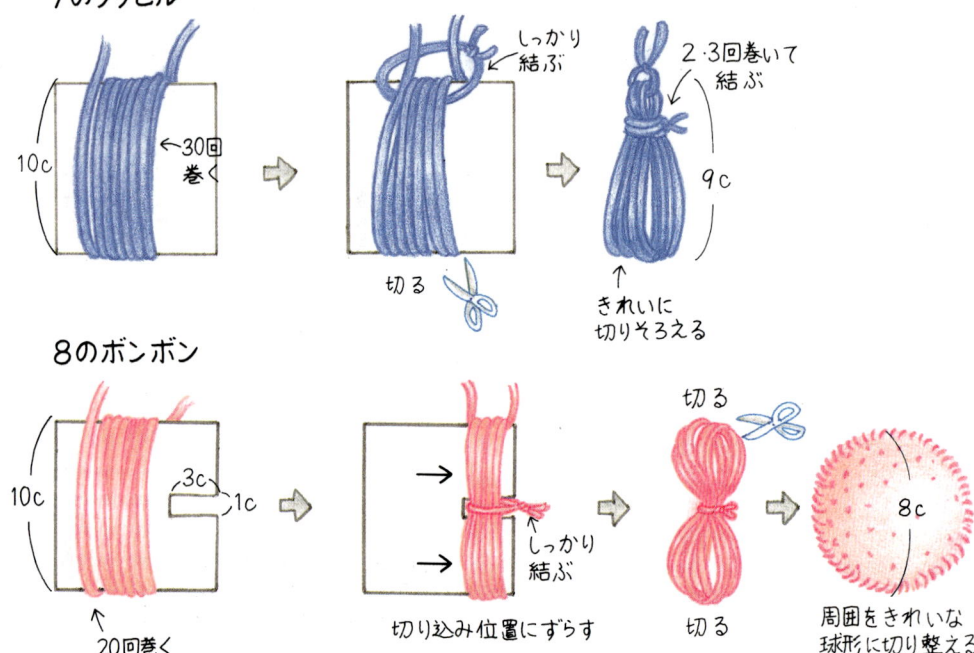

7, 8

18・19ページ

糸
7 極太タイプ　濃い水色、グレー、濃い緑、うすい緑各80g
8 スキーティップトップ　ピンク(7)、水色(8)、オレンジ色(4)、うす青緑(5)各100g
30cm角のクッション1個

出来上がり寸法
30cm×30cm

ポイント
各テープは編み始めで糸を30cm残します。編み終わりは糸を通して目を休めます。テープは隣と隙間をあけないようにつめて通します。クッションのかどが飛び出すので、7はタッセル、8はボンボンをつけます。

テープの編み始めと編み終わりのすくいはぎ

❶編み終わり側の端の目に向こう側から糸を入れ、編み始め側も端の目に向こう側から糸を入れる。

❷編み終わり側は端の目は手前から、2目めは向こう側から糸を入れる。

❸編み始め側の端の目は手前から、2目めは向こう側から糸を入れる。❷、❸を繰り返す。糸は見えなくなるまで引く。

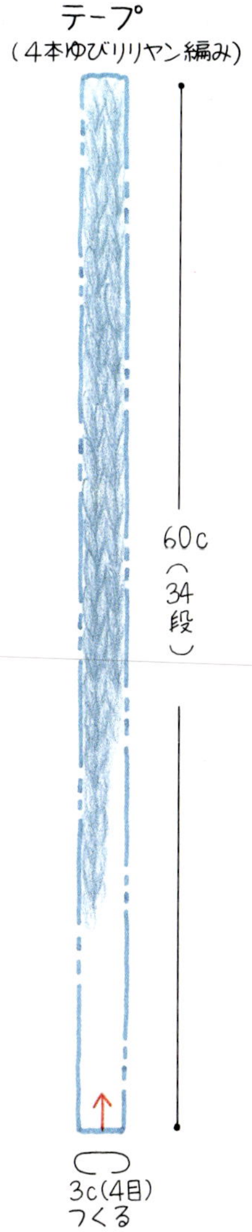

4本ゆびリリヤン編み

テープ
（4本ゆびリリヤン編み）

60c（34段）

3c（4目）つくる

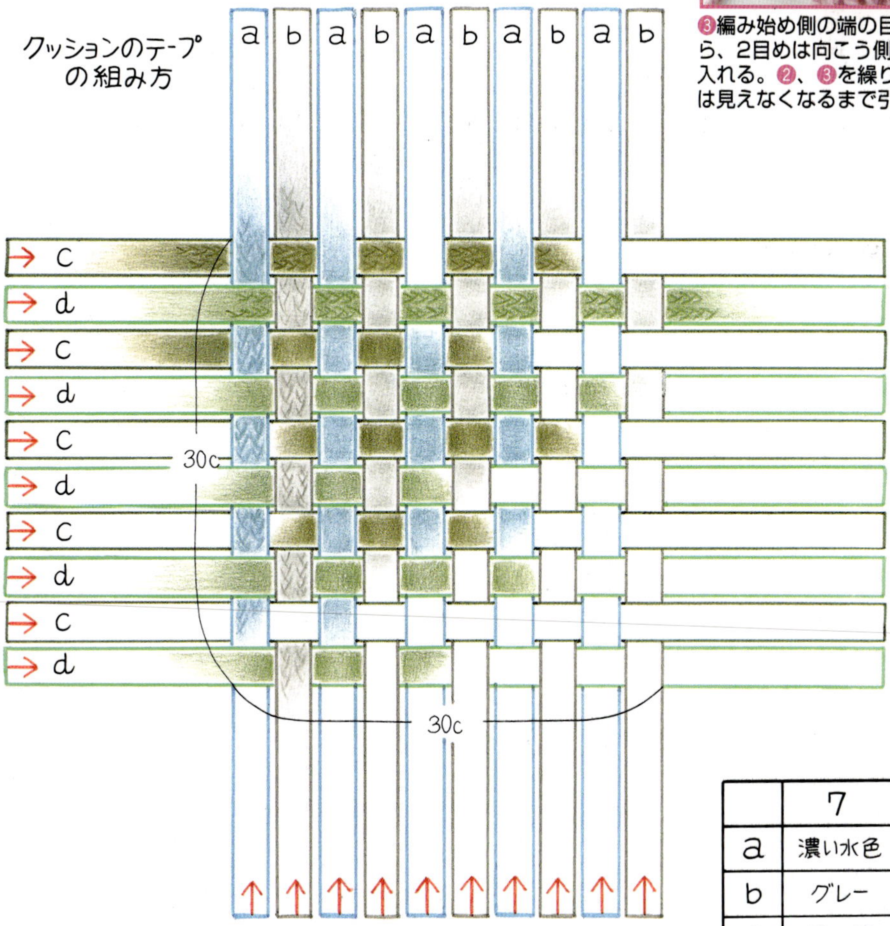

クッションのテープの組み方

※図は裏から見た状態です
四すみにa.b.c.d各色の
7はタッセル、8はボンボンをつける

30c

	7	8
a	濃い水色	ピンク
b	グレー	水色
c	濃い緑	オレンジ色
d	うすい緑	うす青緑

各6本ずつ編む

5本ゆび巻き リリヤン編みの カラフルマフラー

人差し指ぐらいの太さの毛糸で編んだ、
5本ゆび巻きリリヤン編みのマフラーです。
編み目がねじり目になって、
おもしろい表情が楽しめます。
編み地は筒状に出来上がりますので、
色合わせのよい糸で2本編んで、
軽くより合わせて巻きます。

1本はカラフルなミックスや
段染めの糸、もう1本は
その中の1色を選んで編んだから、
カラーコーディネートは
ばっちりです。
編み方／26ページ

9

10

協力／9・ジャケット
＝トゥ ア クー

5本ゆび巻きリリヤン編み

* Yubiami Lesson *

親指から1本ずつ、小指に向かって糸を巻きつけて編んでいきます。小指まで編みましたら、また親指に戻って、ぐるぐる編みます。巻きつけて編むことによって、編み目はねじり目になります。編み地は手の平側に編めていき、筒状になって、往復編みと違った感じに編みあがります。糸はゆとりを持って指に巻きつけます。

編み方考案／野村頌子

●作り目をします

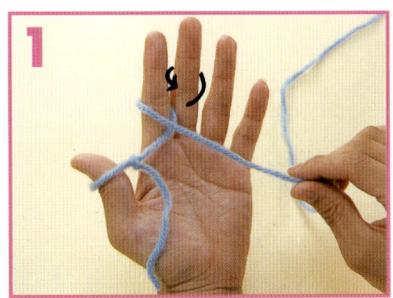

1 糸でループをつくり(8ページ参照)、左手の親指にかける。長い糸を右手で持って、人差し指に手前から巻きつける。

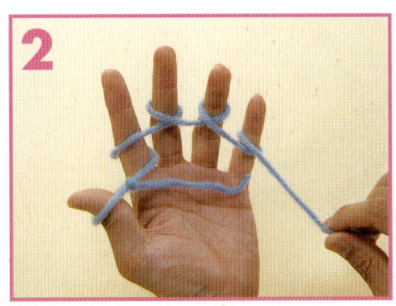

2 同じように中指、薬指、小指の順に手前から糸を巻きつける。

3 親指に糸を持ってきて、向こう側からかける。

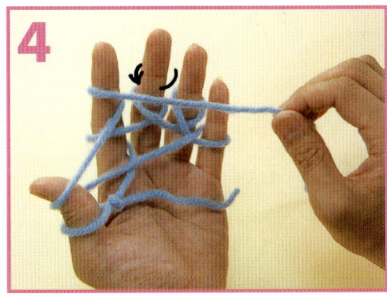

4 1と同じように人差し指に手前から糸を巻きつける。

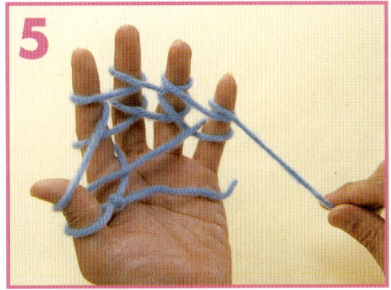

5 小指まで糸を巻きつける。

●1段めを編みます

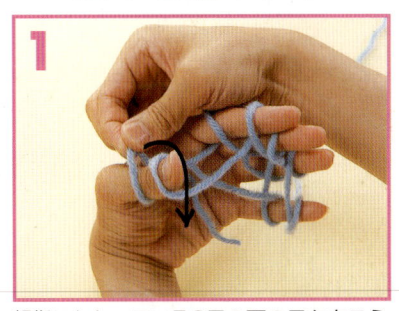

1 親指にかかっている2目の下の目を向こう側からつまんで、

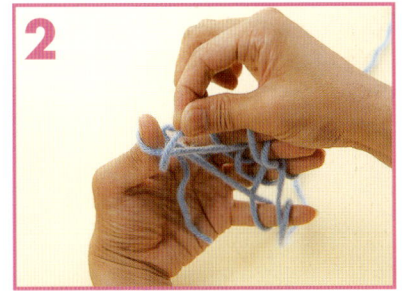

2 上の目を飛び越えて手前に落とす。

3 同じように人差し指も下の目を向こう側から手前に落とす。

4 薬指、小指も同じように編む。

● 2段めを編みます

1 小指の糸を親指に持ってきて、向こう側からかける。

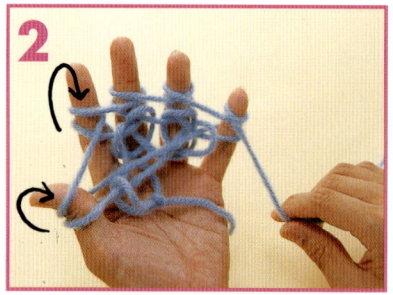

2 人差し指から小指に、作り目の**4**と同じように手前から糸を巻きつける。親指から1段めと同じ要領で下の目を向こう側から手前に落として編んでいく。

3 手の平側に編み地がたまっていく。編み目がねじり目になっている。

9, 10
24ページ

糸
9 パピー ビッグポップ 生なり(351)、多色ミックス(301)各100g
10 ダイヤサーカス ショッキングピンク(2)、ダイヤサーカス〈カラフル〉多色ミックス(101)各100g

出来上がり寸法
9 幅約5cm、長さ約150cm
10 幅約5cm、長さ約130cm(寸法は目安です)

ポイント
5本ゆび巻きリリヤン編みで編みます。編み終わりは指にかかっている目に糸端を通して糸始末をします。

9

10

9 マフラー
(5本ゆび巻きリリヤン編み)
A=生なり B=多色ミックス

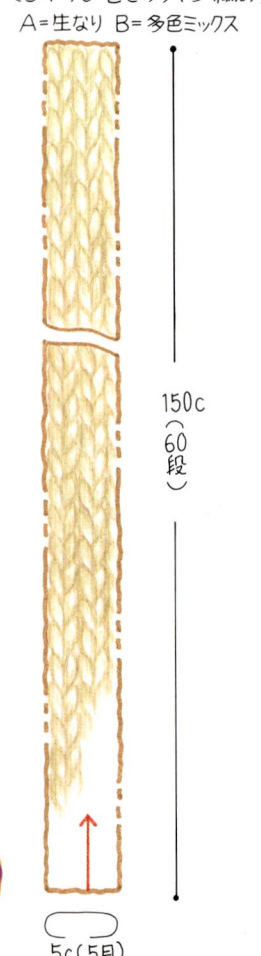

150c
(60段)

5c(5目)
つくる

10 マフラー
(5本ゆび巻きリリヤン編み)
A=ショッキングピンク B=多色ミックス

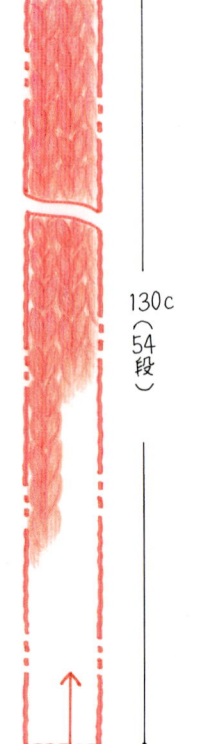

130c
(54段)

5c(5目)
つくる

※段数は目安です
糸が終わるまで編む

この糸で編んでいます
(実物大)

9

パピー ビッグポップ
ウール80% アクリル20%
100g玉巻 32m 7色 1300円

ダイヤサーカス〈カラフル〉
ウール100%
50gカセ 約13m 4色 750円

10

ダイヤサーカス
ウール100%
50gカセ 約13m 6色 680円

13, 14

28ページ

糸
ナイロン製不織布テープ
13 生なり、黄
14 生なり、ピンク各少々
直径8mmのパールビーズ＝**13**、
14とも各3個
ブローチピン各1個

出来上がり寸法
直径約8cm

ポイント
糸は指定の2本どりで編みます。編み始めで糸を30cm残して4本ゆびリリヤン編みで編みます。編み終わりは指にかかっている目に糸端を通します。編み地の筒状の中に糸を通してしぼり、バラの花状に形を整えます。中心にパールビーズ、裏側にブローチピンをつけます。

コサージュ
（4本ゆびリリヤン編み）

28c（20段）

4c（4目）つくる

※ 生なりと13＝黄、14＝ピンクの2本どりで編む

13　14

この糸で編んでいます（実物大）

13

14

バラの花のつくり方

❶ 4目で20段編み、目を止める。

❷ 編み地の筒状の中に少しずつ糸端を通す。

❸ ある程度通してから、糸端を引きしめて、編み地の端を巻いていく。

❹ また糸端を編み地に通し、糸を引く。

❺ 中心から巻き込んでいき、形を整える。

4本ゆびリリヤン編み

協力／12・ブラウス＝ブードゥドゥ
13・ワンピース＝ジェーン マープル
(セントメアリミード)

4本ゆび巻きリリヤン編みに
ビーズを入れながら編んだ、
スカーフ風ネックレス。
透けた感じが爽やかなリボンヤーンです。
ビーズの重みで程よく落ち着きます。
編み方／29ページ

張りのある、かさかさした風合いの
面白い糸はコサージュにぴったり。
4本ゆびのリリヤン編みで編んだテープに
糸を通してしぼってバラの形にします。
中心にパールビーズを飾って。
編み方／27ページ

ゆびリリヤン編みの筒状の編み地を
じょうずに生かしたアクセサリーです。
太い毛糸を透明感のある軽やかな糸に替えて、
パールやビーズを合わせれば、
おしゃれなコサージュやネックレスが
簡単につくれます。

ゆびリリヤン編みの繊細アクセサリー

11, 12
28ページ

ネックレス
（4本ゆび巻きリリヤン編み）

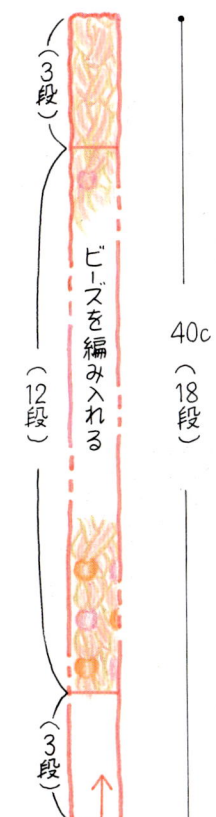

※編み始め、編み終わりとも30cm糸を残し、結ぶ

11
12

ビーズの編み入れ方

11　　12

ピ＝ピンク
オ＝オレンジ色

ブ＝ブルー
ム＝紫
パ＝パール

糸
リッチモア　グラスワーク
11 ピンクとからし色のミックス(52)、
12 紫、水色、オレンジ色のミックス(56)各10g
直径8mmのビーズ＝**11** 透明ピンク、透明オレンジ色各12個
12 パール12個、透明紫、透明ブルー各6個

出来上がり寸法
長さ40cm

ポイント
編み始めで糸を30cm残して4本ゆび巻きリリヤン編みで編みます。ビーズは入れ位置に写真を参考にして編み入れます。編み終わりは指にかかっている目に糸端を通します。

この糸で編んでいます
（実物大）

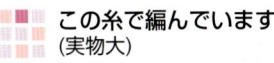

11

12

リッチモア　グラスワーク
レーヨン75%　ナイロン25%
25g玉巻　約40m　10色　780円

ビーズの編み入れ方

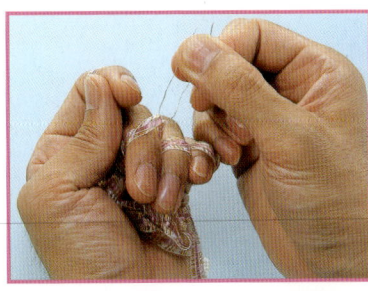

❶10cmぐらいのワイヤーを二つ折りにし、ビーズを通す目に通す。

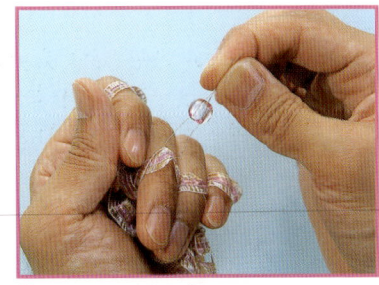

❷ワイヤーにビーズを入れて、

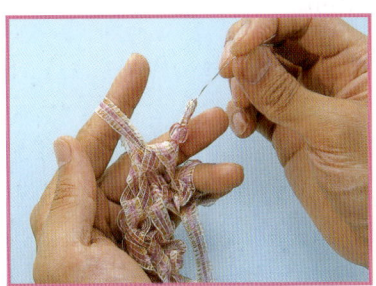

❸指から目をはずしてビーズに通す。

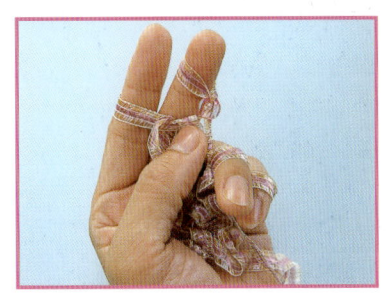

❹目を指に戻す。

協力／15・カットソー、スカート＝ジェーン マープル(セントメアリミード)　16・ブラウス＝ブードゥドゥ スカート＝ジェーン マープル(セントメアリミード)

15

16

15は全体がさざ波みたいな
フリルになっている、
ゆび編みのためにあるような糸。
16は複雑な織柄のリボンヤーンです。
どちらも普通に細編みしただけで、
とってもオシャレな
ミニスカーフが出来ます。
編み方／33ページ

ゆび細編みの
1玉ミニスカーフ

右の人差し指をかぎ針の替わりにして
細編みを編む方法です。
表情の豊かな糸で編むと、ただの細編みも
とても面白い編み地に変身です。
ちょこっと首に巻いて衿風にしたり、
よじって結んでネックレス風にしたり、
楽しみ方はいろいろです。

ゆび細編み ✛
（往復編み）

* Yubiami Lesson *

ゆび細編みは指にかかっている目が1目だけのかぎ針編みの技法です。ほどけにくく、目がわかりやすいので、初めての人にもぜひ試していただきたいゆび編みです。途中でお休みも出来ますので、大きな作品にも向いています。

ゆび細編み｜往復編み

●作り目（鎖編み）をします

1　長い糸を左手人差し指にかけ、糸端を下にたらして、くるっとループをつくる。

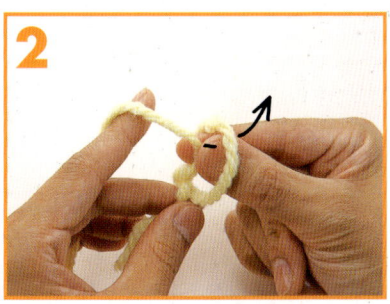
2　交差しているところを左手の親指と中指で押さえ、右手でループの向こう側から糸をつまんで、

3　引き出す。

4　糸端を引いて、ループに右人差し指を入れる。

5　糸の下に右人差し指を入れ、くるっとかける。

6　かけた糸をループの中から引き出す。

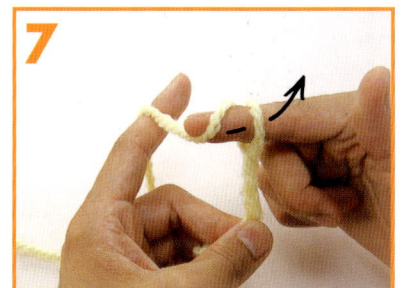
7　次々と同じように糸を引き出す。

8　鎖編みが編めました。これを作り目にする。

●1段めを編みます

鎖1目を編んで、立ち上がりの目(目は高さがあるため)にする。

立ち上がりの1目をとばして鎖編みの目の、上2本に指を入れ、

糸をかける。

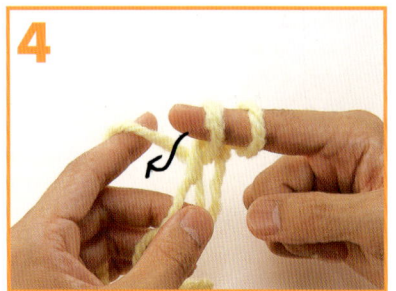
糸を引き出し、

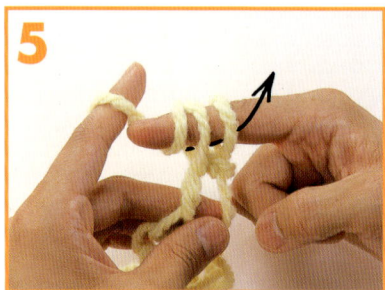
また糸をかけて、

指にかかっている2目を引き抜く。

鎖編みの次の目に**2**と同じように指を入れ、**3**～**6**のように編む。

端まで編む。

●2段めを編みます

立ち上がりの鎖編み1目を編む。

編み地を向こう側に回して持ち替える。

1目めの頭2本に指を入れ、

15, 16
30ページ

糸
15 パピー　フリンジリボン　ベージュ(1) 20m(1パック)
16 リッチモア　グラスワーク　紫、水色、オレンジ色のミックス(56)　25g

出来上がり寸法
幅10cm　長さ70cm

ポイント
全体をゆび細編みで編みます。糸が終わるまで編み、好みの長さまで編み地を引っ張って整えます。

 この糸で編んでいます (実物大)

15

パピー　フリンジリボン
トリアセテート80%　アクリル20%
20m　3色　1600円

16

リッチモア　グラスワーク
レーヨン75%　ナイロン25%
25g玉巻　約40m　10色　780円

ゆび細編み | 往復編み

15 ミニスカーフ（ゆび細編み）70c（23段）
← 10c(5目) つくる →

16 ミニスカーフ（ゆび細編み）70c（32段）
← 10c(7目) つくる →

ゆび細編み
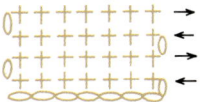

15

4 細編みを編む。次から3、4を繰り返す。

5 端まで編む。

16

ぐるぐる ゆび細編みの 帽子

17

太いモールヤーンやファーヤーンで
あっという間に編める帽子です。
17はシックなグレー、18は情熱の赤、
気分と装いでお好きな方を。
いくつも編んでプレゼントしても。
編み方／38ページ

18

ゆび細編みでぐるぐる輪に編むと帽子が編めます。
毛足のある糸で編むとふかふかしてあったかです。
シンプルで基本的なシルエットなので、若い人にも、
人生のベテラン世代にも、かぶる人を選びません。

協力／18・ブラウス＝スーパーハッカ

輪編みの
ゆび細編み

* Yubiami Lesson *

輪編みのゆび細編みはいつも同じ方向にぐるぐると編んでいく方法です。ここでは、糸で輪をつくって、その中に目を編んで、だんだんに増やしていきます。段の境い目がわからなくなりやすいので、別の糸を編み込んでいきます。

●作り目(輪)をします

2回糸を巻いて輪をつくる。

輪の中に右手人差し指を入れ、糸(糸玉のある方)をかける。

引き出す(両手で糸の輪を押さえておく)。

●1段めを編みます

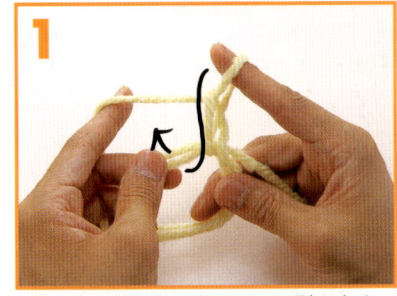

もう1度人差し指に糸をかけて引き出す(鎖編みを編む)。

また、輪の中に人差し指を入れ、糸をかける。

35

かけた糸を引き出し、もう1度人差し指に糸をかけて引き出す。

細編みが1目編めたところ。

1段め、6目編む。

● 作り目の輪を引きしめます

目から人差し指をはずし、糸端を引いて、2本の輪のうち、引きしまる糸を確認する。

引きしまる糸を引っ張るともう一方の糸が動くので、その糸が見えなくなるまで引く。

今度は糸端を引っ張って、残りの輪が見えなくなるまで引きしめる。

目に人差し指を戻す。

1目めの細編みの頭2本に指を入れ、糸をかける。

引き抜く。1段めの完成。

● 2段めを編みます

立ち上がりの位置がわかるように目印の別糸を入れる。

1目鎖編みを編む。

1段めの1目めに細編みを編む。

輪編みのゆび細編み

4
もう一度3の目に指を入れて糸をかけ、

5
細編みを編む。1目に2目編み入れているので、増し目されている。

6
以降、すべて1目に2目ずつ細編みを編む。

7
別糸を手前にして編み始めの目に引き抜く。

● 3段めを編みます

1
目の中に目印の別糸を通し、2段めと同じ要領で立ち上がる。

2
前段の1目に、2目と1目を交互に編み入れる。3段めが編めたところ。

● 最後に引き抜き編みを編みます

1
ブリムの最終段が編めて引き抜いた状態。

2
前段の目に指を入れて糸をかけ、

3
引き抜く。

4
以降、終わりまで繰り返す。

17, 18
34ページ

糸
17 オリムパス手あみ毛糸　エンジェル　グレー (3)70g
18 リッチモア　ビッグルーセント　赤 (15)90g

出来上がり寸法
頭回り50cm、深さ20cm

ポイント
17は2本どりで編みます。3段めまで増し目して編み、10段までまっすぐ編みます。ブリムは記号図を参照して増し目をします。

帽子のゆび細編み

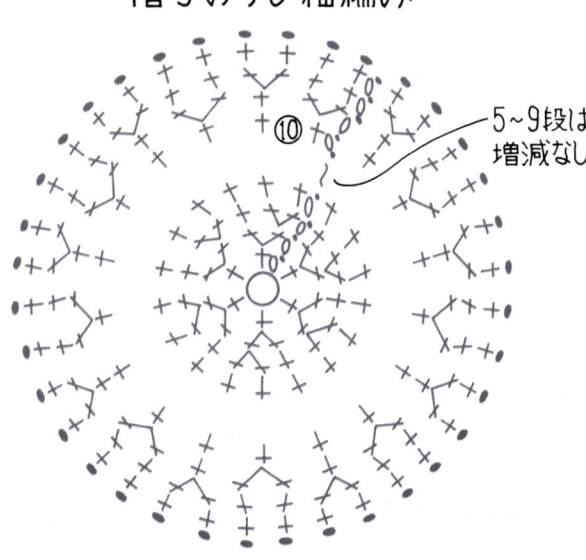

5〜9段は増減なし

帽子（ゆび細編み）

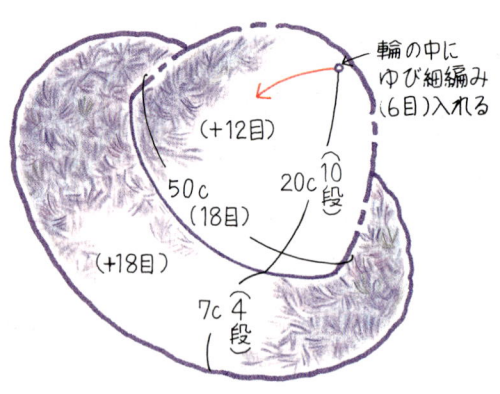

輪の中にゆび細編み(6目)入れる
(+12目)
50c (18目)
20c (10段)
(+18目)
7c (4段)

この糸で編んでいます
(実物大)

17
オリムパス手あみ毛糸　エンジェル
アクリル88%　ナイロン12%
40g玉巻　約48m　16色　780円

18
リッチモア　ビッグルーセント
ポリエステル100%
100g玉巻　約50m　14色　2200円

20

40ページ

糸
極太タイプ　生なり120g
長さ50cmの木製持ち手1本

出来上がり寸法
幅20cm、深さ20cm

ポイント
糸は2本どりで編みます。本体を編みましたら、編み始めと編み終わりをはぎ合わせます。はぎ位置を後ろ中心にして二つ折りにし、底をとじ合わせます。入れ口は前後からそれぞれ拾って、メリヤスアフガン編みで編みます。メリヤスアフガン編みは自然に折り返ります。持ち手をつけます。

話編みのゆび細編み

ゆびプレーンアフガン編み

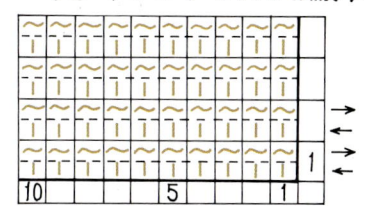

ゆびメリヤスアフガン編み

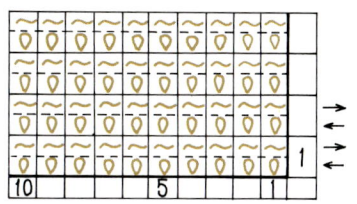

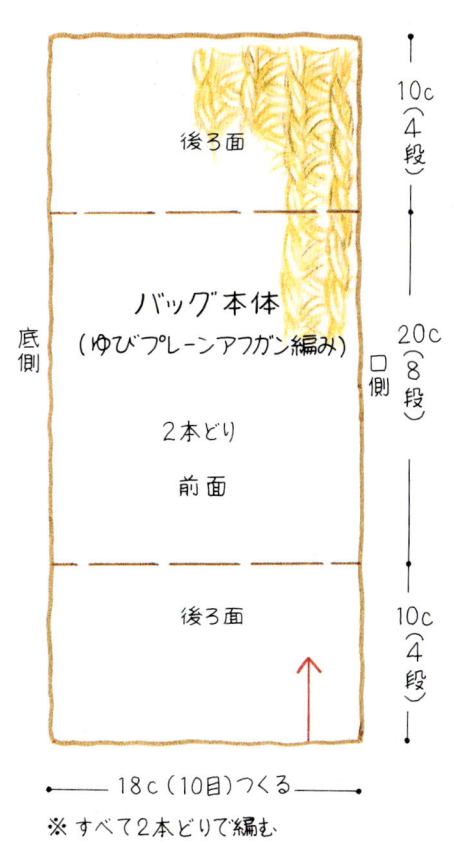

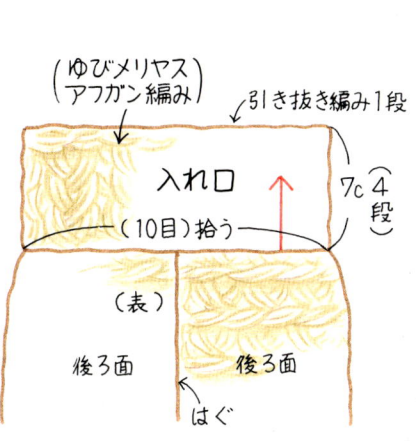

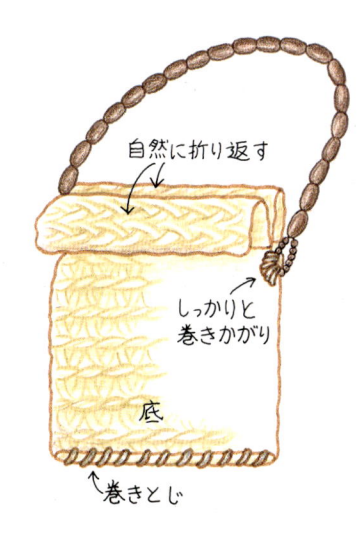

バッグ本体（ゆびプレーンアフガン編み）
2本どり
前面
後ろ面
底側　口側
10c（4段）
20c（8段）
10c（4段）
18c（10目）つくる
※すべて2本どりで編む

入れ口（ゆびメリヤスアフガン編み）
引き抜き編み1段
（10目）拾う
7c（4段）
（表）
後ろ面　後ろ面
はぐ

自然に折り返す
しっかりと巻きかがり
底
巻きとじ

この糸で編んでいます
(実物大)

ゆびアフガン編みのプリティバッグ

しっかりした編み地のゆびアフガン編みは
型くずれが少ないので、バッグに向いています。
指にはだいたい10目までかかりますので、
その幅を生かしたデザインを工夫しました。
冬の外出のお供に、ぜひ連れて行きたいバッグです。

19

カラフルな段染め糸とその中の1色を
2本どりにした、元気いっぱいのバッグです。
まっすぐ編んで脇をとじただけの
簡単な編み方です。
素敵な持ち手でイメージアップ。
編み方／44ページ

20

本体はアフガン編み、
入れ口はメリヤスアフガン編みにして、
ボリューム感を出しました。
糸の分量が多いのでちょっと大変ですが、
短時間で出来ますので、がんばりましょう。
編み方／39ページ

ゆびアフガン編み

Yubiami Lesson

アフガン針の役目を指で行う、ちょっぴりステップアップした方法です。アフガン編みは進む編み目(往路と言う)と、戻る編み目(復路と言う)の組み合わせで1段になります。指の長さにもよりますが、10目ぐらいの編み目は編めます。指にたくさん糸がかかるので、ちょっと大変ですが、ゆび編みとは思えないきっちりした編み地が楽しめます。

プレーンアフガン編み

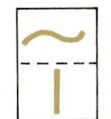

●1段めの往路(進む)を編みます

1 31ページを参照して鎖編みを10目つくる。

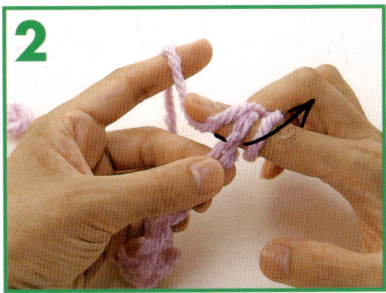

2 1目とばして9目めの鎖編みの上2本に右手人差し指を入れ、糸をかける。

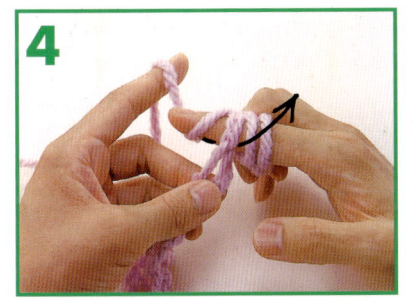

3 糸を引き出す。

4 次の目にも同じように指を入れて糸をかけ、引き出す。

5 4を繰り返す。4目編んだところ。

6 9目編んで、最初に指にかかっていた目と合わせて、10目指にかかる。

●1段めの復路(戻る)を編みます

1 指に糸をかけて、

2 左端の1目を引き抜く。

3 もう一度指に糸をかけて、

41

4 復路の1目と往路の1目を2目一緒に引き抜く。

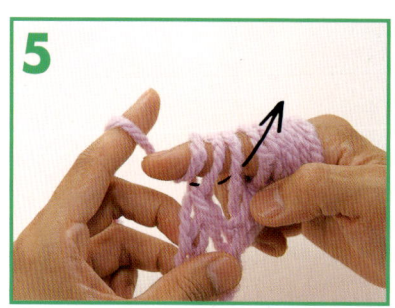

5 3、4を繰り返す。

6 右端まで編む。往路と復路を編んで1段になる。

●2段めを編みます

1 1段めの往路の縦になっている目に指を入れる。

2 糸をかけて、

3 引き出す。

4 繰り返して左端まで編む。

5 復路を編む。1段めの復路と同じように、指に糸をかけて引き抜く。

6 右端まで戻る。2段めが編めたところ。

●目を止めます

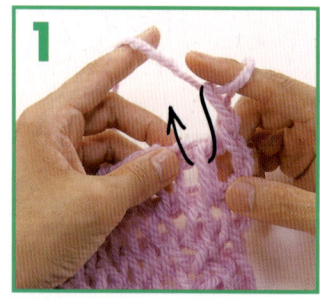

1 かどをつけるため、鎖編み1目を編む。

2 往路の縦の目に指を入れて糸をかけ、

3 引き抜く。

4 2、3を繰り返す。

メリヤスアフガン編み

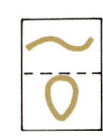

1 往路の目の真中に指を入れる。

2 指に糸をかけて

3 引き出す。

4 左端は写真のように指を入れて、

5 指に糸をかけて引き出す。1段下の往路がメリヤス編み目状になっている。

6 復路はプレーンアフガン編みの復路と同じように戻る。裏側に鎖編みが並ぶ。

●段からの目の拾い方

1 右端の往路の目と復路の目に一緒に指を入れる。

2 糸を引き出す。

3 1段から2目拾う時は往路、復路から1目ずつ拾う。

●目のはぎ合わせ方

1 上下の編み地の端の目に写真のように糸を通す。

2 下の編み地の往路と復路に糸を通して引く。

3 上の編み地の往路2本に糸を通して引く。

4 2、3を繰り返す。糸は見えなくなるまで引く。

ゆびアフガン編み

43

19
40ページ

糸
カネボウ毛糸　サイスイ　オレンジ色(3)80g、多色の段染め(11)40g
幅13cmの持ち手1組

出来上がり寸法
幅18cm、深さ19.5cm

ポイント
糸は指定の2本どりで編みます。入れ口のゆびメリヤスアフガン編みから編み始め、まっすぐ編みます。編み終わりは目を止めます。底で二つ折りにし、両脇をあき止まりまで縫い合わせます。持ち手をつけます。

■ **この糸で編んでいます**
(実物大)

カネボウ毛糸　サイスイ
毛63%　アルパカ30%　ナイロン7%
40g玉巻　約34m　14色　680円

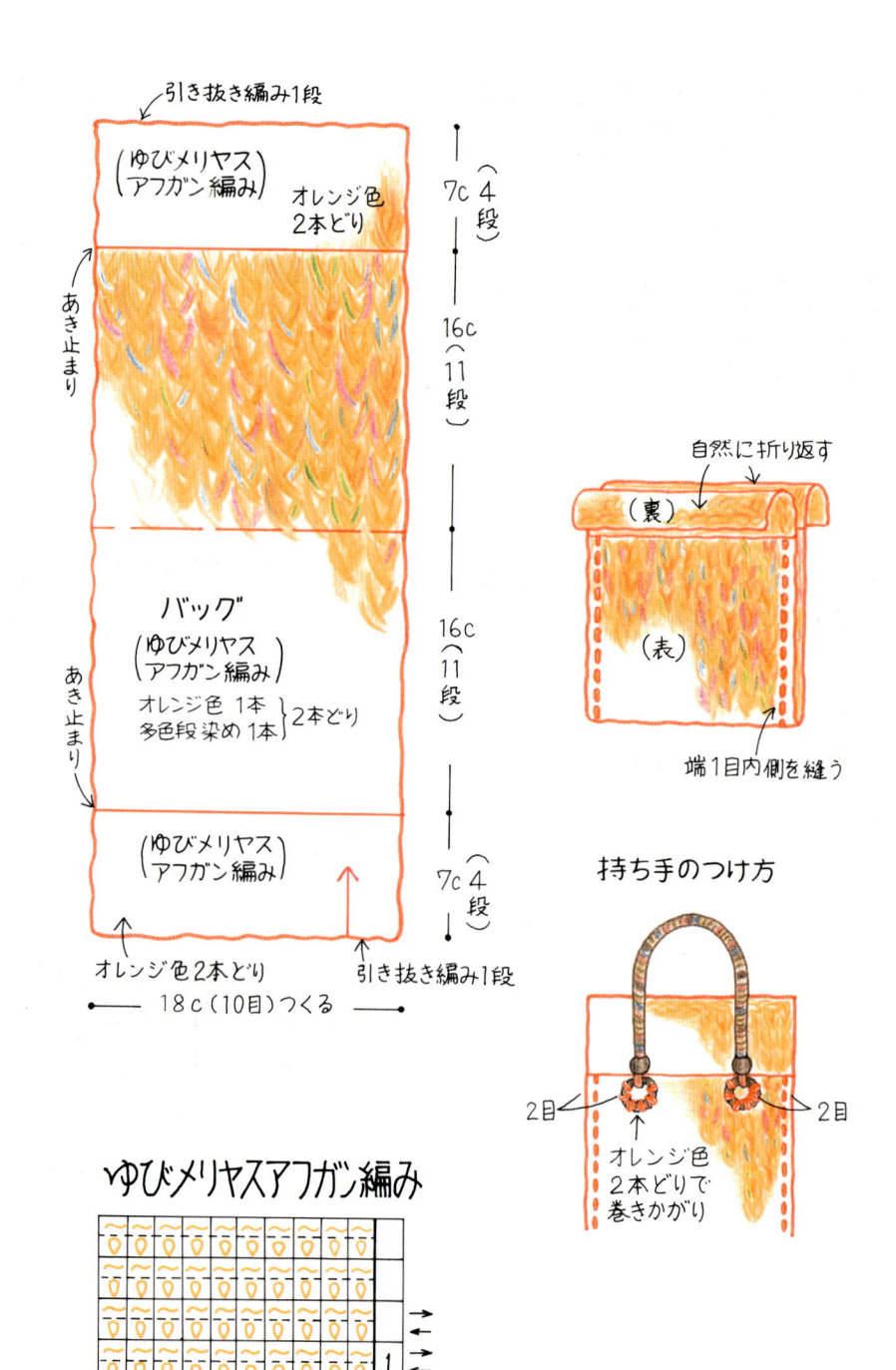

引き抜き編み1段

(ゆびメリヤス
アフガン編み)
オレンジ色
2本どり
7c(4段)

あき止まり

16c(11段)

バッグ
(ゆびメリヤス
アフガン編み)
オレンジ色 1本
多色段染め1本　2本どり

あき止まり

16c(11段)

(ゆびメリヤス
アフガン編み)
7c(4段)

オレンジ色2本どり
引き抜き編み1段
18c(10目)つくる

自然に折り返す
(裏)
(表)
端1目内側を縫う

持ち手のつけ方

2目　2目
オレンジ色
2本どりで
巻きかがり

ゆびメリヤスアフガン編み

10　5　1

26, 27

58・59ページ

糸
26 ナイロン製不織布テープ　生なり80g
リッチモア　マイヤ　白(1)20g
27 リリヤンテープ　生なり200g

出来上がり寸法
幅40cm、長さ130cm(26)　146cm(27)

ポイント
ゆびよね編みは両端を細編みで編みます。編み始めと編み終わりに26は縁編み、27はフリンジをつけます。

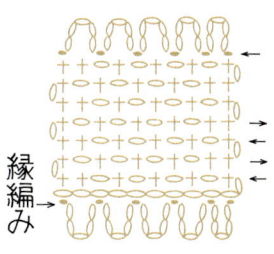

ゆびよね編み

※縁編みは26のみ編む

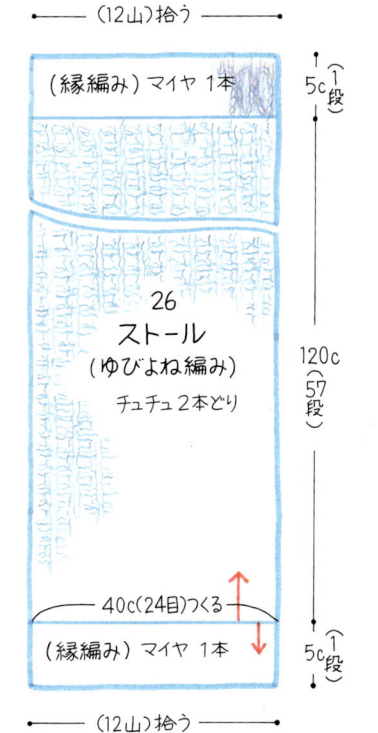

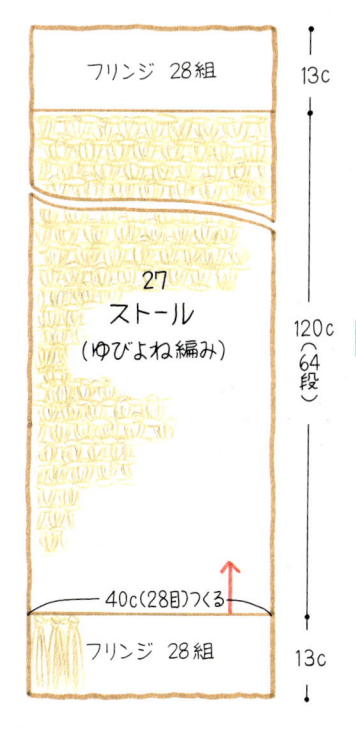

■ この糸で編んでいます
(実物大)

リッチモア　マイヤ(上)
ポリエステル70%　ナイロン17%
アクリル13%
25g玉巻　約17m　2色　980円

26

27

ゆびアフガン編み

26 ストール（ゆびよね編み）
チュチュ2本どり
(縁編み) マイヤ 1本
5c (1段)
120c (57段)
5c (1段)
40c (24目) つくる
(12山) 拾う

27 ストール（ゆびよね編み）
フリンジ 28組
13c
120c (64段)
13c
40c (28目) つくる
フリンジ 28組

※フリンジは30cm×4本を1組にして二つ折り

フリンジのつけ方

❶指定の長さと本数の糸を二つ折りにし、

❷編み目の手前から入れる。

❸ループを引き出し、

❹糸端を通す。

21

ゆびチェーン ペトゥール編みの マーガレット

編み方／49ページ

協力／ツーピース＝グレイ マジック
靴＝デア／ディア

1段の編み目の長さがゆったりとしているので、みるみる編めるマーガレットです。背中心から左右に編み分けて、袖下をとじるだけ、とっても早く簡単に編めます。糸を選べば、おしゃれ着にも、くつろぎ着にも。

ゆびチェーンペトゥール編み

* Yubiami Lesson *

アフガン編みと同じ要領で、目を指にかけていく方法ですが、1目ごとに鎖編みを編んで目をしめますので、指を抜いてもほどけません。そのため、指に編み目がたまらないので、幅の広い編み地も編むことが出来ます。編み目の大きさを揃えるときれいです。次の段を編む時、ループをねじらないように気をつけます。

● 1段めを編みます

1 鎖編み(31ページを参照)で必要目数を作り目をして、1目鎖編みを編んで引きしめる。

2 次の鎖編み目(上2本)に指を入れ、糸を引き出す。

3 鎖編みを1目編んで

4 糸を引いて目を引きしめる。

5 2〜4を繰り返す。4目編めたところ。

6 指に編み目がいっぱいになったら、

7 そっと指から編み目をはずす。

8 2目指に戻して、続けて編む。

9 左端まで編んだところ。

●2段めを編みます

1 指から全目をはずし、編み地を裏返す。

2 1段めの1目めにループをねじらないように指を入れて糸をかける。

3 糸を引き出し、

4 鎖編みを編んで目を引きしめる。

5 次の目も同じように指を入れて、

6 糸を引き出し、

7 鎖編みを編む。

8 糸を引いて目を引きしめる。

9 5目編んだところ。3段め以降は2段めと同じ要領で編む。

この糸で編んでいます
(実物大)

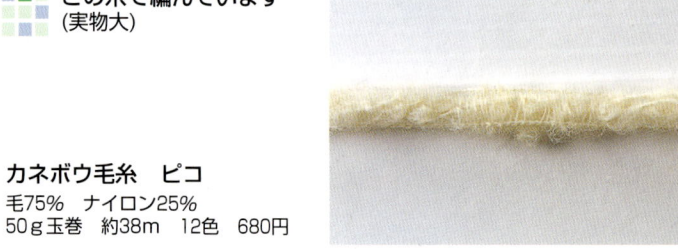

カネボウ毛糸　ピコ
毛75%　ナイロン25%
50g玉巻　約38m　12色　680円

21

46ページ

糸
カネボウ毛糸　ピコ　淡いベージュ
(702)230g

出来上がり寸法
丈42cm、ゆき丈69cm

ゲージ
10cmでゆびチェーンペトゥール編み6目・1段が4cm

ポイント
後ろ中心から作り目をして、左右に編み分けます。ゆびチェーンペトゥール編みの1段の長さは4cmに揃えます。編み終わりは2目を一緒に引き抜き止め(42ページ参照)にします。袖下は鎖とじ(鎖編みの引きしめた部分は引き抜き編み、伸びている部分は鎖編み)にします。衿、裾、袖口にゆび細編み(32ページ参照)を輪に編みます。

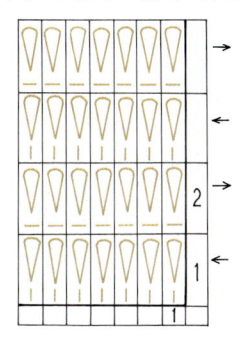

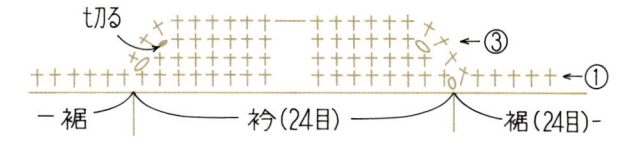

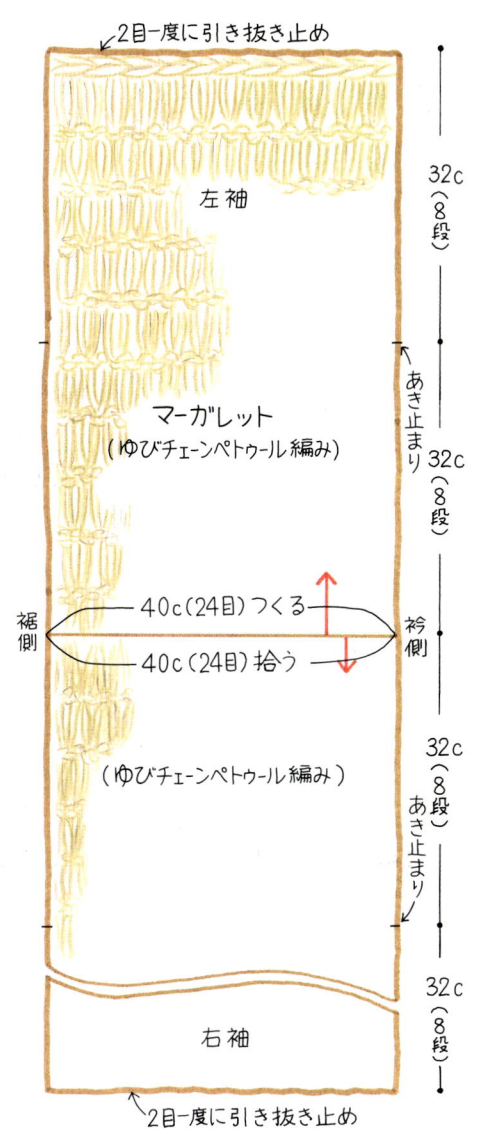

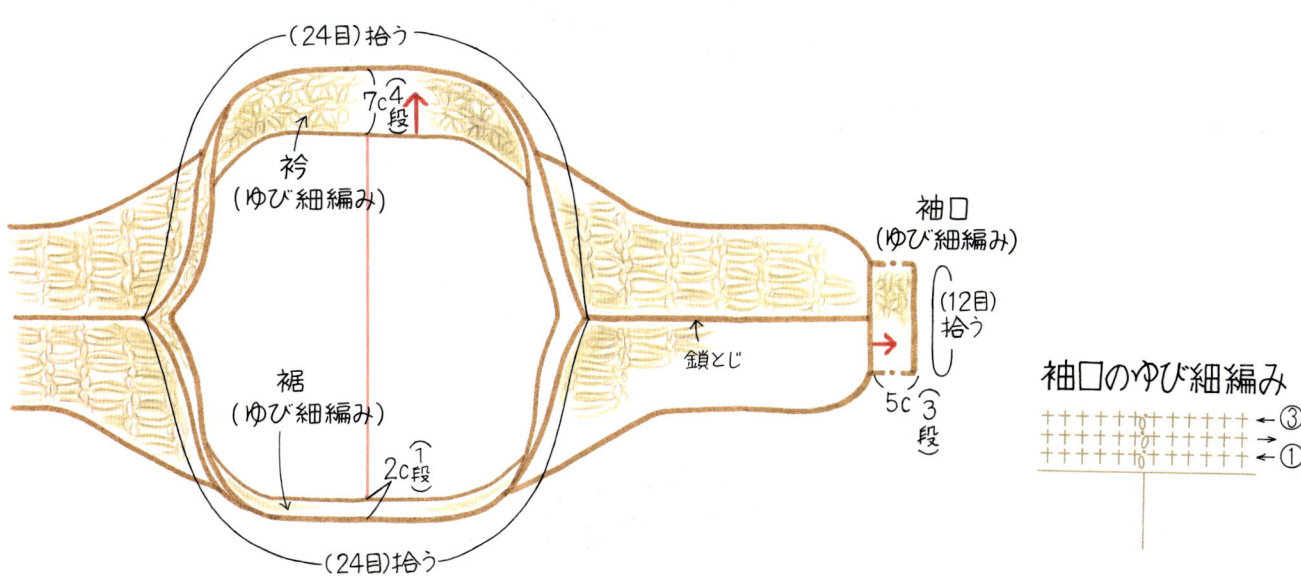

ゆびチェーン ペトゥール編みの メンズマフラー

編み方／51ページ

ゆびチェーンペトゥール編み(47ページ参照)の
テープを編んで、ヘアピンレース編みの技法で
つないだメンズマフラーです。
糸が交差しあって、微妙な編み地が楽しめます。
ゆび編みでも、うすく仕上がるので
しなやかな巻きごこちです。

22

23

22, 23
50ページ

糸
22 ダイヤロッド　チャコールグレー(11)、グレー(4)、ベージュ(3)、生なり(2)各40g
23 ダイヤバース　こげ茶(412)、オレンジ色(405)、ダイヤジュディ　茶系段染め(7)、モノクロ系段染め(8)各40g

出来上がり寸法
幅16cm、長さ180cm

ゲージ
10cmでゆびチェーンペトゥール編み7目・1段が2.5cm

ポイント
ゆびチェーンペトゥール編み(47ページ参照)でテープA・Bを編んでおきます。ねじれやすいので、編んだループに別の糸を通しておくとよいでしょう。テープAは作り目の鎖編みの両側にチェーンペトゥール編みを編みます。テープは下から隣同士ループを組み合わせていきます。組み終わりはテープAの糸でループがほどけないように止めます。

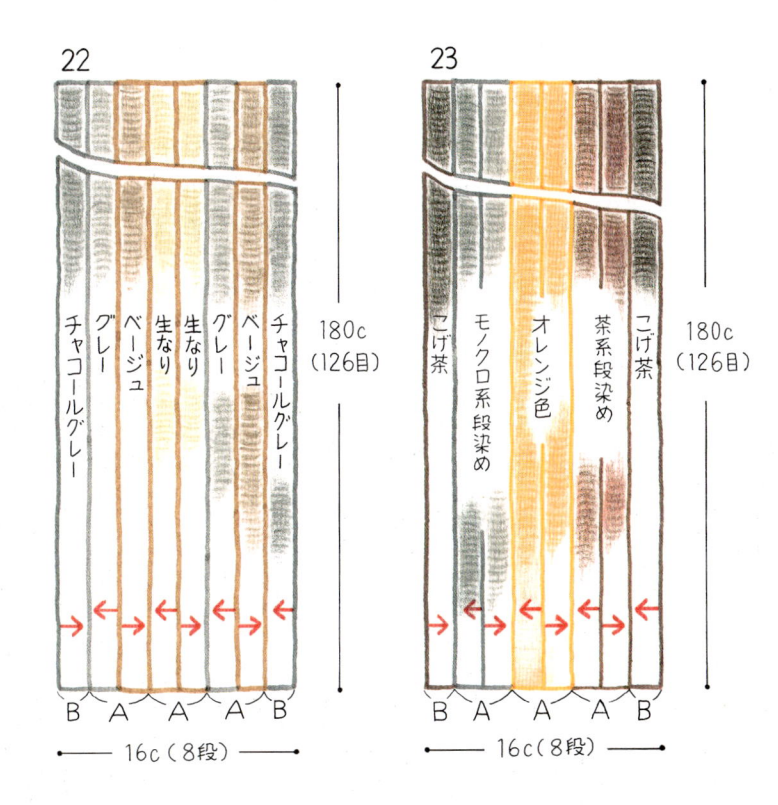

■ この糸で編んでいます
□ (実物大)

22
ダイヤロッド
ウール100%
50g玉巻　約48m　17色　450円

23
ダイヤバース
ウール100%
50g玉巻　約63m　14色　450円

ダイヤジュディ
ウール82%　ナイロン15%　ポリエステル3%
40g玉巻　約48m　8色　760円

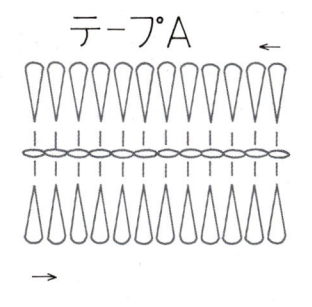

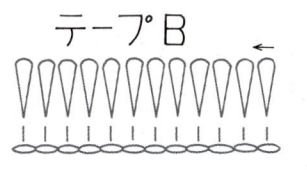

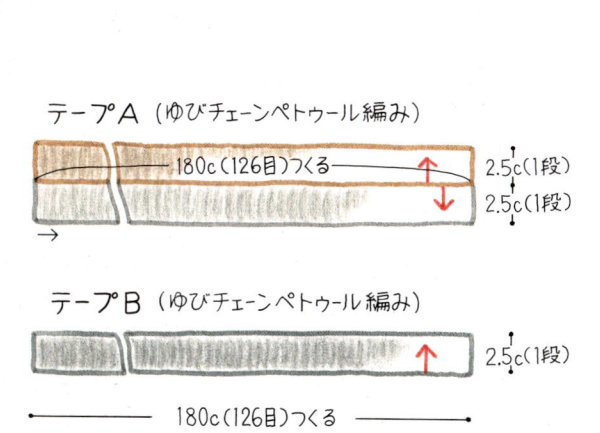

22 180c(126目)　16c(8段)
チャコールグレー／グレー／ベージュ／生なり／グレー／ベージュ／チャコールグレー
B A A A A A B

23 180c(126目)　16c(8段)
こげ茶／モノクロ系段染め／オレンジ色／茶系段染め／こげ茶
B A A A A A B

テープA
テープB

テープA (ゆびチェーンペトゥール編み)　180c(126目)つくる　2.5c(1段)　2.5c(1段)
テープB (ゆびチェーンペトゥール編み)　180c(126目)つくる　2.5c(1段)

テープのつなぎ方
① 鎖編みの片側にチェーンペトゥール編み(47ページ参照)を端まで編み、向きを変えて反対側を編む。
② テープBとAを隣り合わせて並べる。

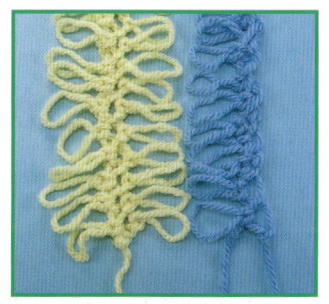

次のページに続きます

ゆびチェーンペトゥール編み

❸テープBのいちばん下のループをテープAのループの下から入れる。

❹AのループをBのループの下から入れる。

❺BのループをAのループの下から入れる。

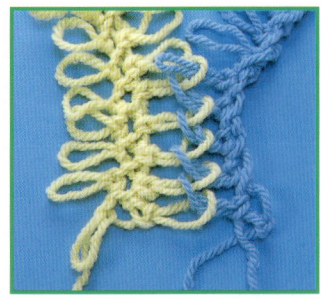

❻❹、❺を終わりまで繰り返す。

復路で2目一度にする減目

左側

❶指に糸をかけて、

❷左端の2目を一度に引き抜く。

右側

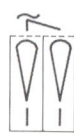

❶右端2目を残したところまで編み、指に糸をかけて

❷復路の目と2目の3目を一緒に引き抜く。

すくいはぎ

❶下、上の編み地の往路の端の目に向こう側から糸を入れて通す。

❷下の編み地の往路の端の目は手前から、2目めは向こう側から糸を通す。

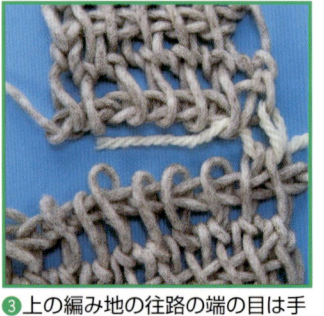

❸上の編み地の往路の端の目は手前から2目めは向こう側から糸を通す。

❹❷、❸を繰り返す。

すくいとじ

❶下、上の編み地の鎖編みの作り目に向こう側から糸を入れて通す。

❷下の編み地の復路をすくって糸を通す。

❸上の編み地の復路を写真のようにすくって糸を通す。

25

55ページ

糸
ニッケビクター毛糸　ソーホー　チェリーレッド(560)220g

出来上がり寸法
胸囲92cm、背肩幅34cm、丈51cm

ゲージ
10cmでゆびチェーンペトゥールアフガン編み7目・1段が3cm

ポイント
24(57ページ参照)と同じ要領で編みます。花のモチーフはチェーンペトゥール編みを輪にします。後ろでタックをたたんで、ベルトで押さえます。

■■ この糸で編んでいます
■■ (実物大)

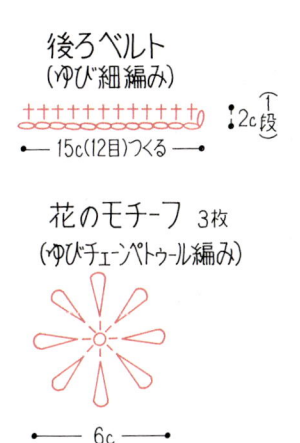

ニッケビクター毛糸 ソーホー
ウール75%
アクリル20%
ポリエステル5%
40g玉巻
約40m　16色
480円

後ろベルト(ゆび細編み)　15c(12目)つくる　2c 段

花のモチーフ 3枚 (ゆびチェーンペトゥール編み)　6c

後ろ中心の始末　後ろベルト　花のモチーフ

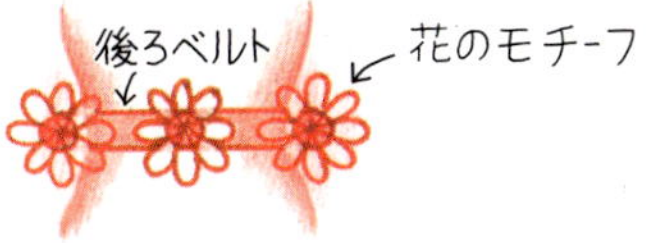

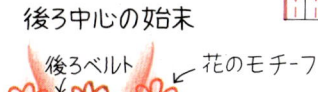

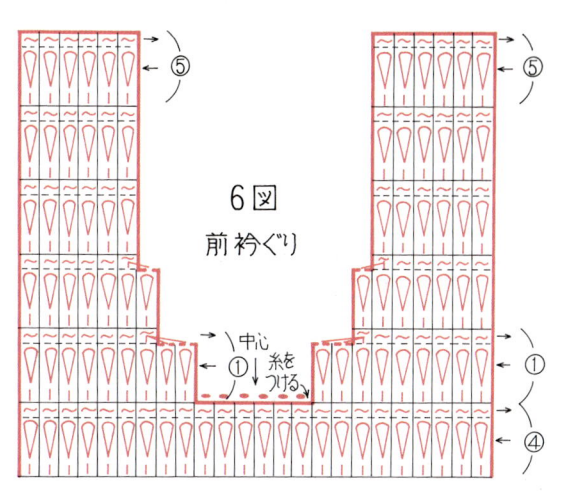

6図 前衿ぐり　中心 糸をつける

※1図、2図は57ページに掲載してあります。

ゆびチェーンペトゥールアフガン編み

後ろ(ゆびチェーンペトゥールアフガン編み)
8.5c(6目)　17c(12目)　8.5c(6目)
衿あき止まり
引き抜き編み1段
2図　1図
(−4目)　(−4目)
27c(9段)
タックをたたむ
(7目)(5目)(8目)(5目)(7目)
1段 4段
24c(8段)
引き抜き編み1段
46c(32目)つくる

前(ゆびチェーンペトゥールアフガン編み)
8.5c(6目)　17c(12目)　8.5c(6目)
引き抜き編み1段
15c(5段)(6目)止める
2図　6図　1図
(−4目)　(4段)　(−4目)
引き抜き編み1段
46c(32目)つくる

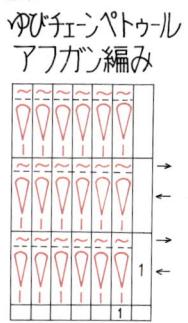

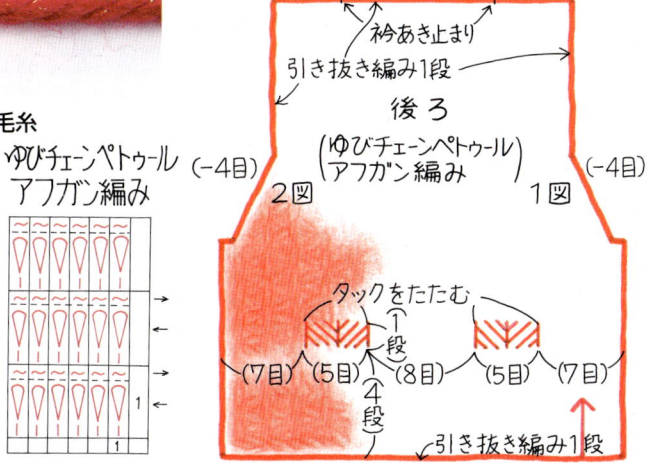

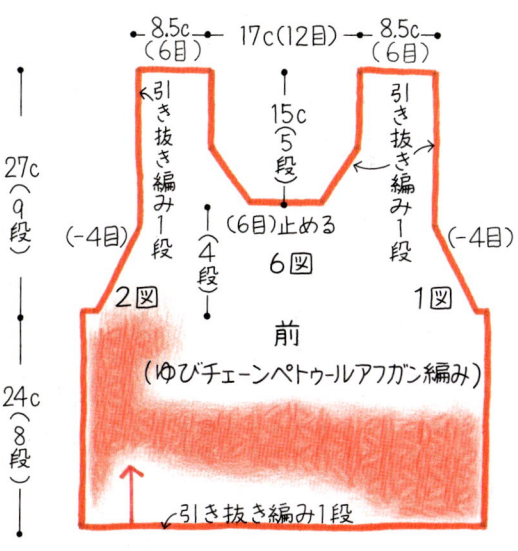

花のモチーフの編み方

❶糸で輪をつくり(35ページ)、チェーンペトゥール編みを8目編む。

❷糸端を引いて、

❸動いた輪の糸を引きしめる。

❹糸端を再び引いて、出来上がり。

ゆびチェーンペトゥールアフガン編み

ゆびチェーンペトゥール アフガン編みのベスト

ゆびチェーンペトゥールアフガン編みは
しっかりと編み上がるので、ウエアものにも向いています。
棒針編みやかぎ針編みとも一味違う、
織物風な雰囲気の編み地が楽しめます。
メンズはカジュアルに、レディースはエレガントに。

24

スモーキーなグレーが何にでも合って、
秋から冬に、重宝する1着です。
太い糸ですが、意外とかさばらないので、
柔らかい着心地です。
編み方／57ページ

25

鮮やかなチェリーレッドに金ラメがからんでいる、
華やかな糸で編んだベストです。
後ろに飾ったチェーンペトゥールの
お花モチーフがポイント。
編み方／53ページ

ゆびチェーンペトゥールアフガン編み

ゆびチェーンペトゥールアフガン編み

Yubiami Lesson

ゆびチェーンペトゥール編み(47ページ参照)とアフガン編みを合体させた編み方です。アフガン編み(41ページ参照)は往路と復路で編み地が構成されています。その往路をチェーンペトゥール編みにしたのがこの編み方です。やはり指から編み目がはずせますので、何目でも編むことが出来ます。

● 1段めの往路を編みます

1 作り目の鎖編みから目を拾って、チェーンペトゥール編み(47ページ参照)を編む。

2 指に編み目がいっぱいになったら、指から目をはずす。

3 2目ほど指に戻して、また編む。

4 左端まで編む。

● 1段めの復路を編みます

1 アフガン編みの復路(41ページ参照)と同じように指に糸をかけて、左端の1目を引き抜く。次からは復路と往路を一緒に引き抜いていく。

2 数目、復路を編んだところ。往路はチェーンペトゥール編みになっている。

3 右手に目がなくなったら、

4 はずしておいた目を

5 ねじらないように右手に戻す。

6 再び復路を編む。2段めは編み地を持ち替えずに端1目めにチェーンペトゥール編みを編む。

■ この糸で編んでいます
(実物大)

リッチモア　G＆L
毛85%　ナイロン15%
50g玉巻　約40m　13色　760円

24
54ページ

糸
リッチモア　G&L　グレー(32)300g

出来上がり寸法
胸囲106cm、背肩幅40cm、丈57cm

ゲージ
10cmでゆびチェーンペトゥールアフガン編み
6目・1段が3cm

ポイント
裾から鎖編みの作り目をして編みます。ゆびチェーンペトゥール編みの1段の長さは3cmに揃えます。図を参照して編み、肩の編み終わりは目を休めます。肩はすくいはぎ、脇はすくいとじにし(52ページ参照)、裾・前端・後ろ衿ぐり、袖ぐりに引き抜き編みを編みます。ボタンホールは編み地を利用します。

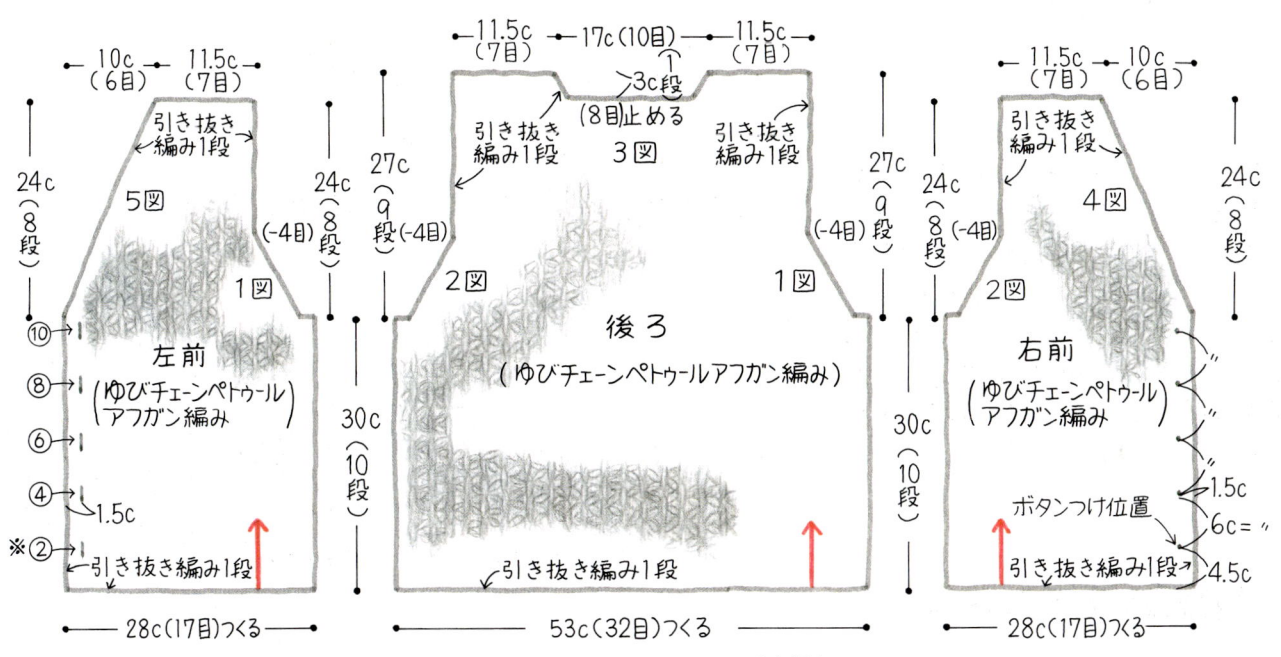

ゆびチェーンペトゥールアフガン編み

※ ○の段の端1目内側をボタンホールにする　※ 引き抜き編みは1目・1段に1目を編む

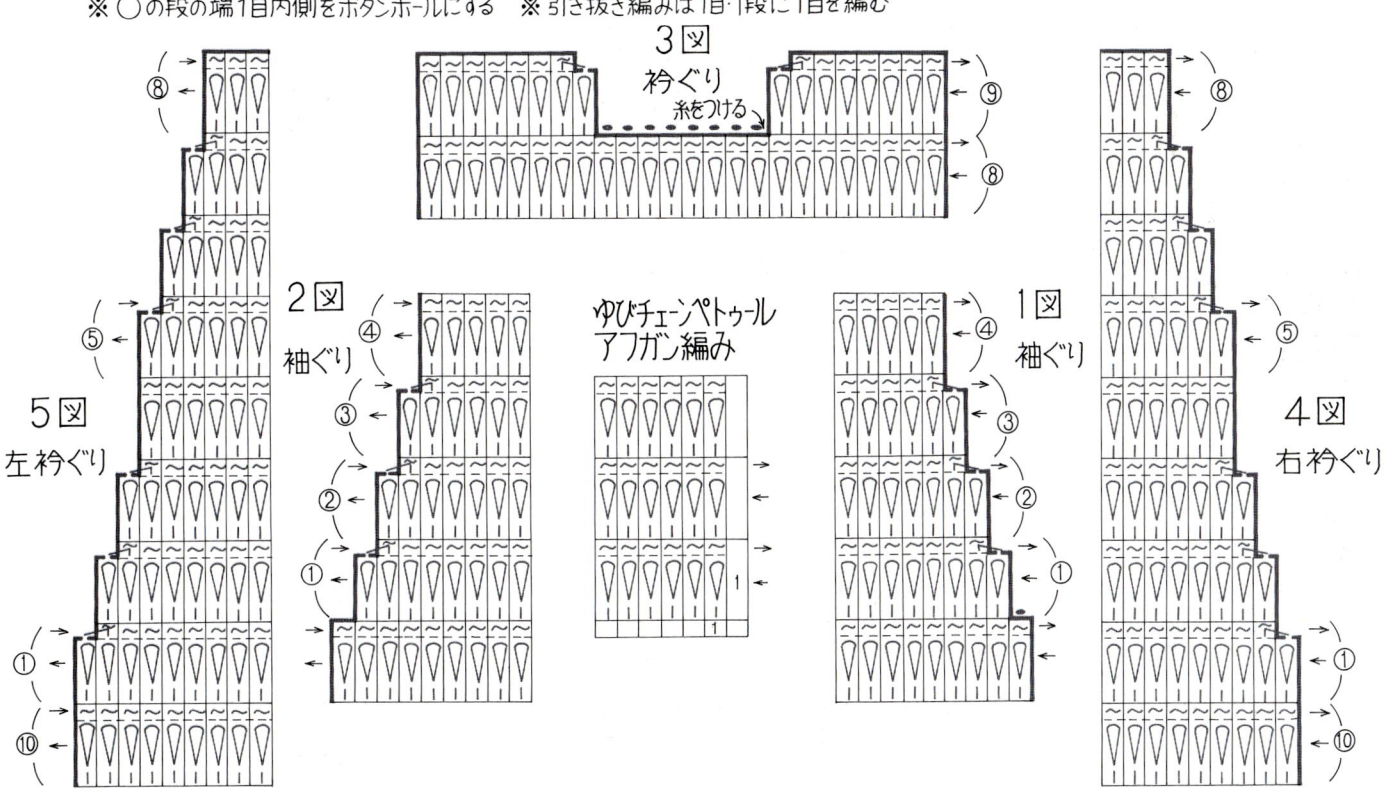

3図 衿ぐり 糸をつける

5図 左衿ぐり

2図 袖ぐり

ゆびチェーンペトゥール
アフガン編み

1図 袖ぐり

4図 右衿ぐり

57

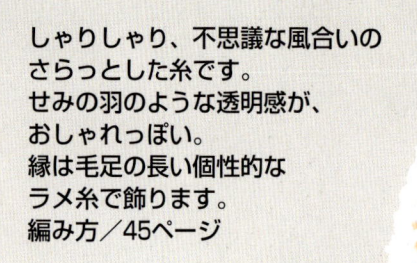

しゃりしゃり、不思議な風合いの
さらっとした糸です。
せみの羽のような透明感が、
おしゃれっぽい。
縁は毛足の長い個性的な
ラメ糸で飾ります。
編み方／45ページ

26

ゆびよね編みの
エレガントストール

よね編みは細編みと鎖編みとを交互に繰り返す編み方です。
次の段は鎖編みの空間に指をすっぽりと入れるので、
スピーディーに編み進みます。
程よく透けて、軽いので、ストールやカーディガンに
ぴったりです。

協力／ワンピース＝ジェーン マーブル
(セントメアリミード)

協力／スカート＝ジェーン マーブル
(セントメアリミード)　靴＝デア／ディア

27

糸自体が細い糸で編み地になっているので、
太くても軽やかでしなやかです。
ストールにして羽織ると、
身体によくなじむのがわかります。
編み方／45ページ

応用編

協力／スカート＝ジェーン マープル
（セントメアリミード）　ブーツ＝デア
／ディア

おしゃれ
プルオーバー

ゆび細編みとよね編みでも、
糸とシルエットを吟味すれば、
着やすくて、個性的な
プルオーバーだって編めちゃいます。
糸自体に伸縮性のあるものを
選ぶのがこつです。

28

弾力のある糸なので、
ゆび編みの重さをカバーして、
素敵な感触のプルオーバーになりました。
衿と袖口はふわふわのファーヤーンで
幸せ感がいっぱいです。
編み方／62ページ

この作品の糸もしなやかで
美しいシルエットが楽しめます。
縁のリング編みは太いスラブの部分を
あらかじめ、一結びして
細編みにしただけの簡単テクニックです。
編み方／63ページ

29

応用編

協力／靴＝デア／ディア

28

60ページ

糸
ハマナカ手芸手あみ糸　マフラー倶楽部アンナ
水色(504)350g　ハマナカロングファー　生なり(2)40g

出来上がり寸法
胸囲94cm、背肩幅36cm、丈49cm、袖丈26.5cm

ゲージ
10cm平方でゆび細編み5.5目・6.5段

ポイント
各部分とも鎖編みで作り目して編み始め、図を参照して編みます。細編みの減目、増し目、肩はぎ、脇、袖下のとじ、袖の引き抜きは66ページを参照します。衿、袖口に縁編みを編みます。

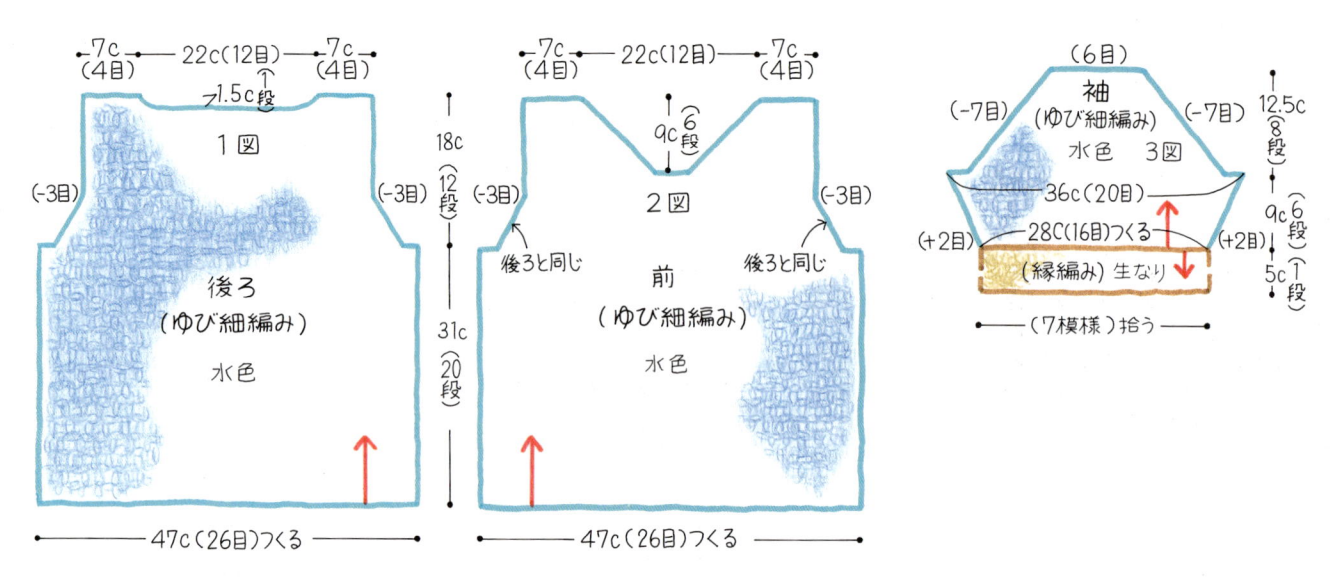

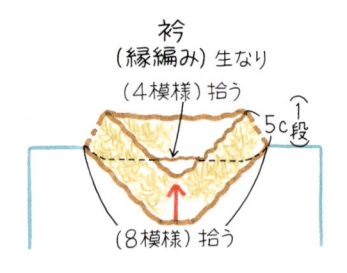

1図 後ろ（ゆび細編み）水色
2図 前（ゆび細編み）水色
3図 袖（ゆび細編み）水色
縁編み 生なり

衿（縁編み）生なり

1図 後ろ
2図 前衿ぐり
●＝縁編みを編む位置
3図 袖

この糸で編んでいます（実物大）

28
ハマナカ手芸手あみ糸
マフラー倶楽部アンナ
毛73%　アクリル(カシミロン)27%
50g玉巻　約40m　10色　460円

ハマナカロングファー
アクリル(ピューロン)93%　ナイロン7%
45g玉巻　約39m　17色　880円

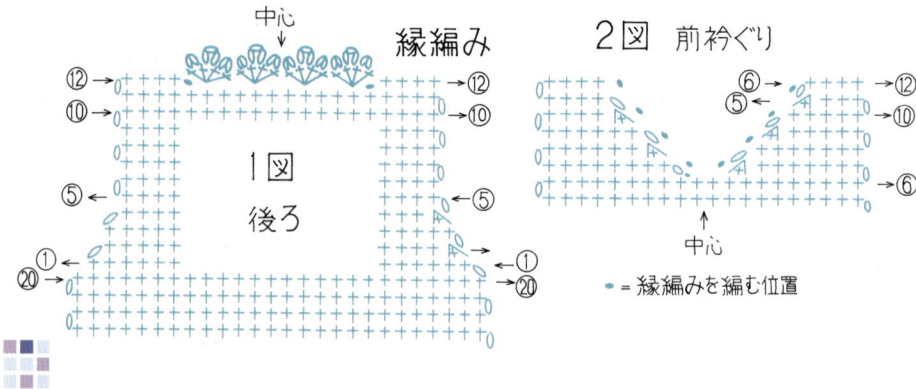

29
パピー　チャビー
ウール100%
50g玉巻　30m　16色　490円

パピー　ロベルタ・フラーリ
ウール90%　ナイロン10%
50g玉巻　65m　7色　950円

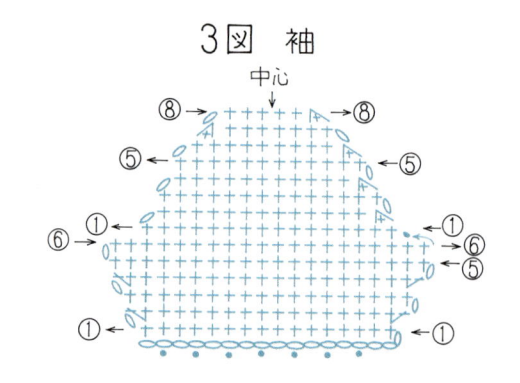

29
61ページ

糸
パピー ロベルタ・フラーリ 赤系ミックス(26)230g パピー チャビー 濃い赤(219)100g

出来上がり寸法
胸囲94cm、背肩幅33cm、丈50cm、袖丈45.5cm

ゲージ
10cm平方でゆびよね編み7.5目・6段

ポイント
各部分とも鎖編みで作り目して編み始め、図を参照して編みます。前後身ごろのウエスト位置はきつめに編みます。肩は鎖はぎ、脇、袖下、袖つけは鎖とじです。衿、袖口に細編みを編みます。細編みはスラブの結びめ目を必ず表側に引き出しておきます。

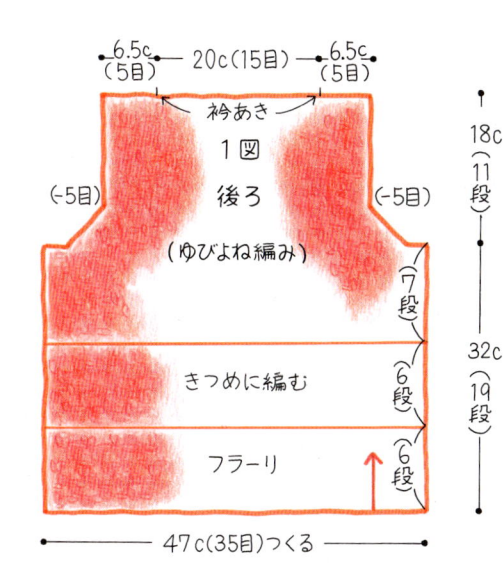

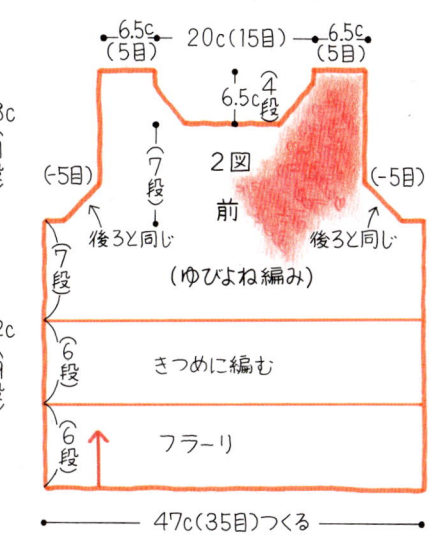

1図 後ろ

寸法：6.5c(5目) / 20c(15目) / 6.5c(5目)、衿あき、18c(11段)、32c(19段)、47c(35目)つくる
(-5目)、(7段)、(6段)、(6段)
（ゆびよね編み）
きつめに編む
フラーリ

2図 前

寸法：6.5c(5目) / 20c(15目) / 6.5c(5目)、6.5c(4段)、18c(11段)
(-5目)、後ろと同じ、(7段)、(6段)、(6段)
（ゆびよね編み）
きつめに編む
フラーリ
47c(35目)つくる

衿（ゆび細編み）チャビー
(15目)拾う、4c(4段)、(18目)拾う

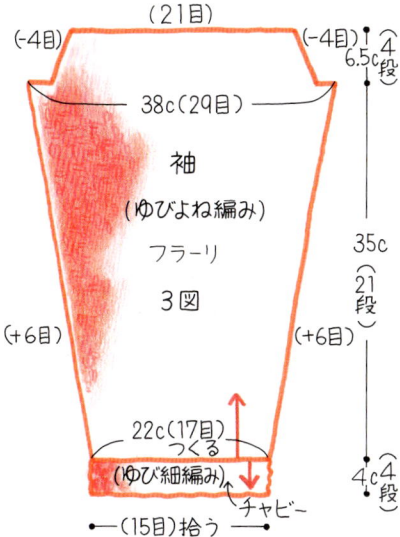

3図 袖

(21目)、(-4目)、6.5c(4段)
38c(29目)
（ゆびよね編み）
フラーリ
35c(21段)
(+6目)、(+6目)
22c(17目)つくる
（ゆび細編み）チャビー
(15目)拾う、4c(4段)

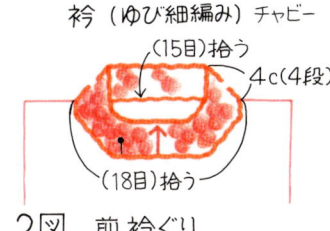

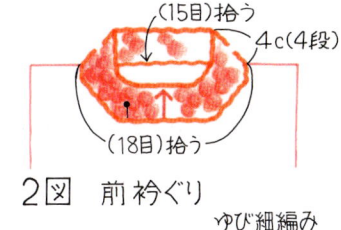

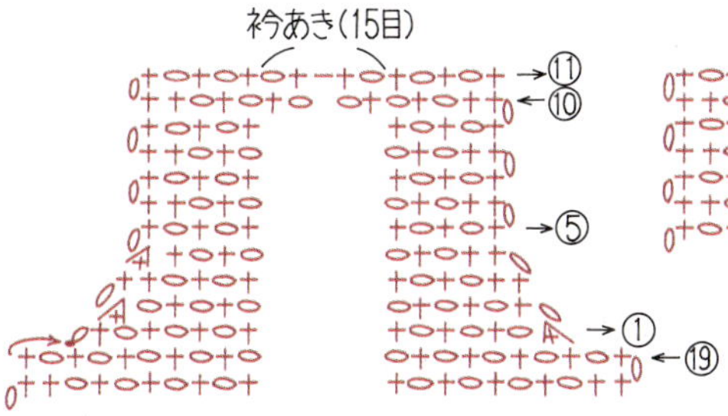

※ ゆび細編みはスラブのふくらみを結んでおく

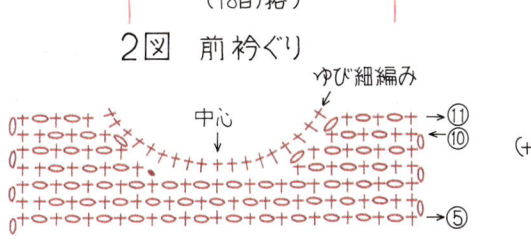

ゆびよね編み
2目・1模様

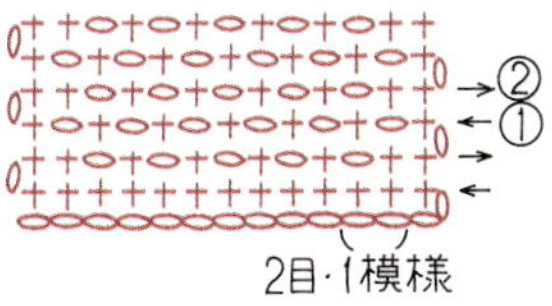

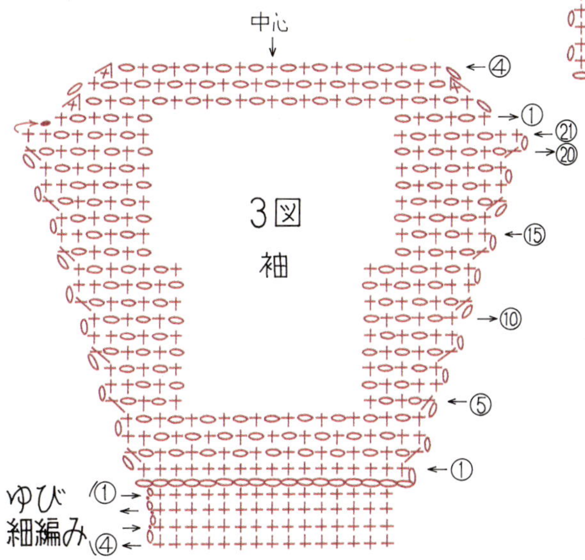

スラブ部分の結び方
❶ スラブのふくらみの部分を半分に折り、一結びする。 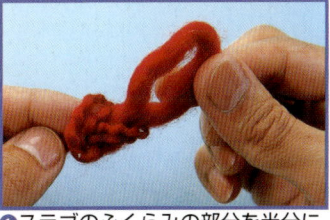
❷ 結び目の長さは2.5cmぐらいにする。

30

気軽に羽織れるマーガレット

さわってみて、わっ、この柔らかさは何？
ていうくらい新しい触感の糸は2本どりにして
マーガレットに編みました。
基本は4本ゆび編みのマフラーと同じです。
つなぎ方にちょっと工夫をこらした
アイディアニットです。

編み方／65ページ

30

64ページ

糸
スキーベリーソフト 白(1)、ピンク(2)各140g

出来上がり寸法
丈40cm、ゆき丈67.5cm

ポイント
4本ゆびメリヤス編みの編み地4枚をつなぎながら編みます(写真参照)。袖下は引き抜きでとじます。裾・衿はぐるりとゆび細編みを編みますが、裾は2段、衿は1段とばして拾って編みます。

この糸で編んでいます
(実物大)

スキーベリーソフト
ナイロン100%
40gドーナツ巻 約38m 8色 550円

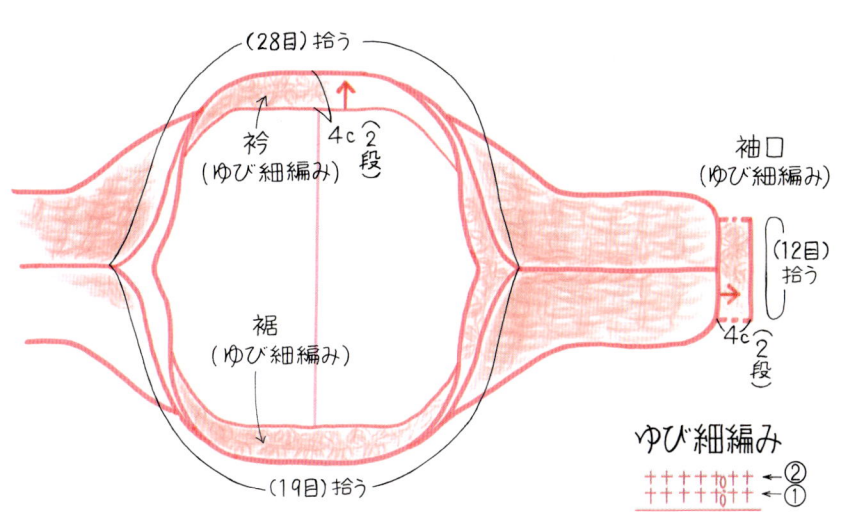

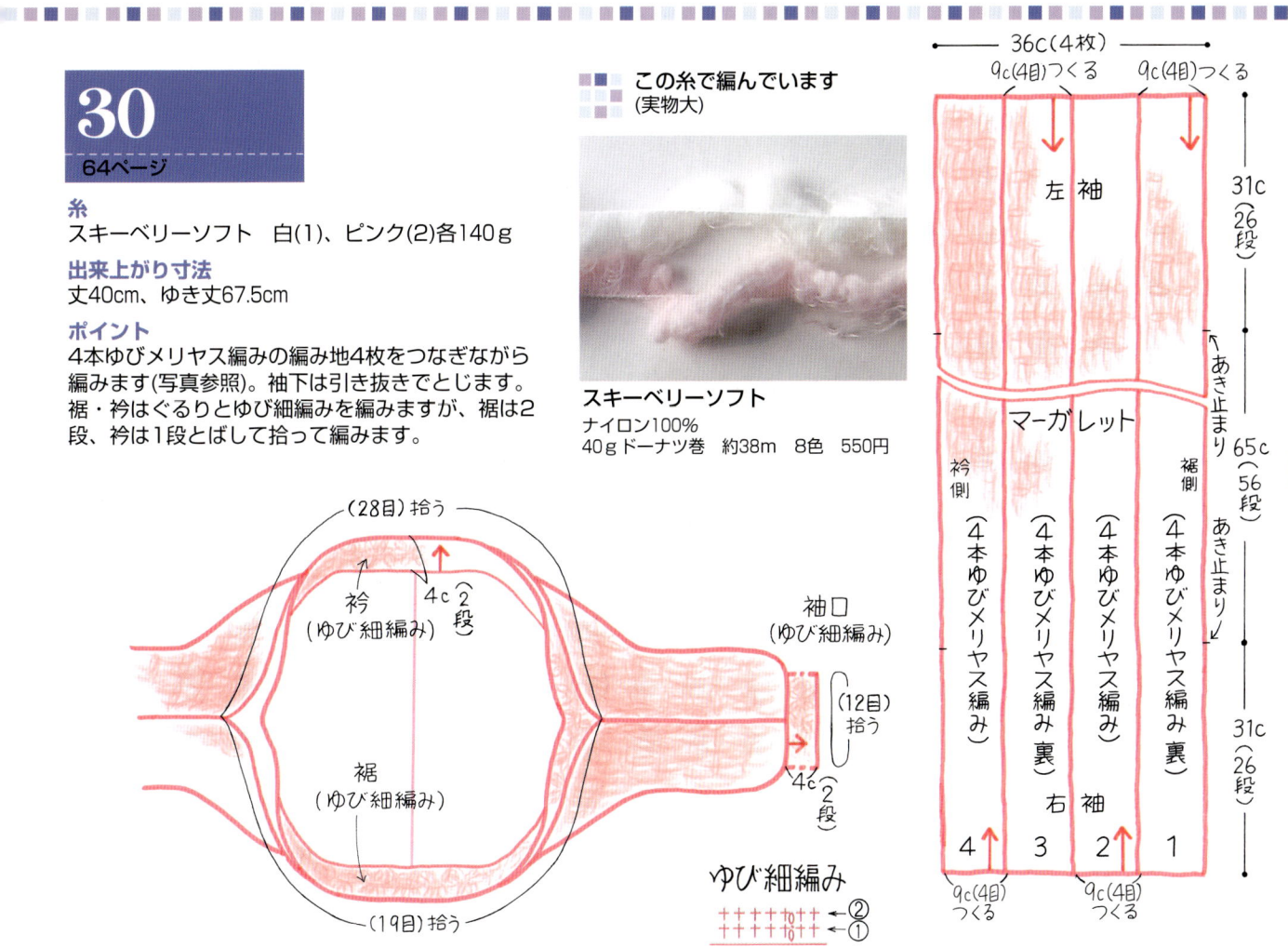

※ピンクと白の2本どりで編む

編み地のつなぎ方

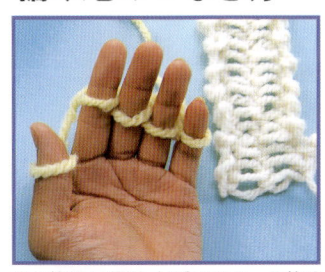

❶ 1枚めは編み上げておき、2枚めを1段編む。1枚めの編み地は裏を向ける。

❷ 編んでいる糸を1枚めの1段めに通す。

❸ 通したループを広げて、糸玉をくぐらせる。

❹ 糸を引いて、

❺ ループをしめる。また小指から編む。

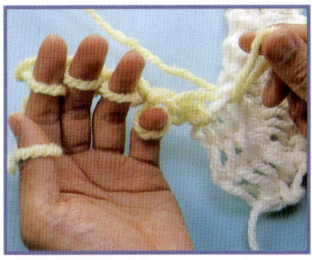

❻ 2段編んできたら、また❷〜❺を繰り返す。

❼ いつも編んでいる編み地の隣は裏側を向けておく。

● 細編み1目の減目

編み始めの減目

①立ち上がりの鎖編み1目を編む。
②1目をとばして次の目に指を入れて糸を引き出す。
③糸をかけて引き抜く。

編み終わりの減目

①編み終わりの2目手前まで編む。
②2目から糸を引き出し、
③一度に引き抜く。

● 細編み1目の増し目

編み始めの増し目

①右端1目を編む。
②同じ目にもう1目編む。
③1目に2目入り、1目増える。

編み終わりの増し目

①左端まで編む。
②同じ目にもう1目編む。
③1目に2目入り、1目増える。

● 引き抜きはぎ

①編み地を中表に合わせて、2枚とも端の目に指を入れる。
②指に糸をかけて引き出す。
③次の2目に指を入れて糸をかける。
④引き出す。③、④を繰り返す。

● 引き抜きとじ

①編み地を中表に合わせて、2枚とも端の段に指を入れる。
②指に糸をかけて引き出す。
③次の段に指を入れて糸をかける。
④引き出す。③、④を繰り返す。

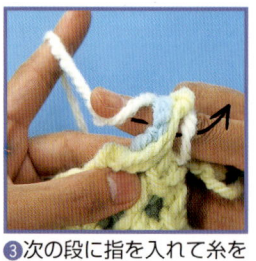